Les chaînes du passé

Nora Roberts

Les chaînes du passé

Collection : NORA ROBERTS

Titre original : THE HEART OF DEVIN MACKADE

Traduction française de NELLIE D'ARVOR

HARLEQUIN®
est une marque déposée par le Groupe Harlequin

Photo de couverture
Propriété : © GETTY IMAGES / GALLO IMAGES
Réalisation graphique couverture : L. SLAWIG (Harlequin SA)

© 1996, Nora Roberts. © 2013, Harlequin S.A.
83-85, boulevard Vincent-Auriol, 75646 PARIS CEDEX 13.
Service Lectrices — Tél. : 01 45 82 47 47
www.harlequin.fr
ISBN 978-2-2802-8486-8

Chapitre 1

Illuminée par les rayons d'un chaud soleil printanier, la ville d'Antietam s'offrait sous son meilleur jour aux yeux du shérif MacKade. Devin aimait déambuler le long des trottoirs inégaux de la petite cité, se griser de l'odeur des pelouses fraîchement tondues, de la vue des fleurs, des cris des enfants dans le square.

Chaque fois qu'il effectuait sa ronde, la tranquille immuabilité de ce spectacle s'égayait d'infimes mais significatifs changements. A l'entrée de la banque, un massif de bégonias roses constituait une innovation majeure. Derrière la vitrine du coiffeur, sous les yeux embués de sa mère attendrie, un garçonnet expérimentait, fasciné, sa première coupe de cheveux.

Aux arbres et aux réverbères, les services de la ville achevaient d'installer les drapeaux et les bannières en vue de la parade du Memorial Day. Quelques hommes affairés s'activaient à nettoyer ou repeindre leur porche en prévision de cet événement. En dépit de la charge de travail supplémentaire qu'il représentait, Devin attendait ce jour avec une impatience fébrile, comme la plupart des habitants d'Antietam. Dès l'aube, ils seraient nombreux à camper tout au long de la rue principale, munis de leur pliant et de leur glacière, pour être sûrs de ne rien rater des évolutions des fanfares et des majorettes.

Après avoir tourné au coin du bureau de poste, saluant au passage trois vieillards qui prenaient le frais sur un banc, Devin poussa un soupir de découragement. Dix mètres plus bas, Mme Metz avait garé son antique Buick, comme à son habitude, dans une zone de stationnement interdit. Bien sûr, il aurait pu se contenter de sortir son carnet et de déposer une amende sur le pare-brise. Mais s'il le faisait, il était certain qu'elle se précipiterait à son bureau pour la payer, non sans lui avoir rappelé au passage par le menu la longue carrière de mauvais garçons des frères MacKade.

Prudemment décidé à user d'une autre méthode, Devin leva les yeux vers les portes ouvertes de la bibliothèque, de l'autre côté de la rue. A n'en pas douter, Mme Metz devait être en pleine conférence avec Jane Poffenberger, la bibliothécaire. Après avoir rassemblé tout son courage, il gravit les marches de pierre usées du perron. Dans ses jeunes années, il avait été si souvent sermonné par la maîtresse des lieux que l'adulte qu'il était aujourd'hui ne pouvait y pénétrer sans une certaine appréhension.

Comme il s'y attendait, les deux femmes étaient penchées au-dessus du comptoir encombré par une impressionnante pile de livres, discutant avec animation des derniers potins de la ville.

— Madame Metz ? fit Devin après s'être approché.

D'un bond, la grosse femme vêtue d'une robe écarlate à larges motifs fleuris fit volte-face. Ce faisant, elle faillit renverser avec son coude la montagne de livres. Mlle Jane, qui avait de bons réflexes en dépit de son allure d'épouvantail déplumé, parvint de justesse à éviter l'effondrement.

— Tiens, tiens ! s'exclama Mme Metz avec un sourire

réjoui. Mais c'est notre shérif. Comment vas-tu, Devin, par ce bel après-midi ?

— Très bien, assura-t-il en lui rendant son sourire.

Puis, s'inclinant respectueusement vers la bibliothécaire :

— Mademoiselle Jane.

— Devin.

Les cheveux gris impeccablement tirés en arrière, le visage pâle à la peau diaphane mangé par de grosses lunettes, le chemisier blanc boutonné jusqu'au cou, Jane Poffenberger hocha la tête en crucifiant Devin de ses petits yeux bleu acier.

— Es-tu venu me rapporter cet exemplaire du Badge du courage que tu as perdu ? demanda-t-elle.

— Non.

Devin se maudit de n'avoir pu s'empêcher de baisser les yeux. Cela faisait vingt ans qu'il avait perdu ce satané bouquin. A l'époque, il l'avait remboursé sou pour sou et avait même passé une semaine à balayer tous les jours la bibliothèque pour sa pénitence. Et à présent qu'il était un homme, à présent qu'il portait ce même badge du courage épinglé à son revers, il suffisait d'un regard et d'un mot de la vieille bibliothécaire pour le ramener vingt années en arrière.

— Chaque livre est un trésor ! conclut celle-ci.

Dans sa bouche, c'était une antienne que Devin avait entendue d'innombrables fois. S'il n'en avait tenu qu'à elle, Mlle Jane l'eût sans doute fait graver au frontispice de son établissement.

— C'est vrai…, reconnut-il piteusement.

A présent plus pour se tirer d'affaire que pour faire respecter les règles de stationnement, Devin s'empressa d'en revenir à Mme Metz.

— Vous êtes garée en zone interdite, lui dit-il d'un air de reproche. C'est la troisième fois ce mois-ci.

— C'est vrai ?

L'innocence personnifiée, Mme Metz battit des paupières et porta d'un geste théâtral une main à sa poitrine.

— Je ne…, balbutia-t-elle. Je ne sais pas comment cela se fait, Devin. J'aurais pourtant juré m'être garée au bon endroit. Je me suis juste arrêtée une seconde pour déposer quelques livres et en reprendre d'autres, la lecture est un don de Dieu, n'est-ce pas, Jane ?

— Un don de Dieu…, confirma l'intéressée.

La bibliothécaire n'avait pas bronché, mais Devin aurait juré avoir vu passer une lueur de malice dans son regard. Lui-même devait faire de gros efforts pour ne pas se laisser aller à sourire.

— Madame Metz, insista-t-il, je vous assure que vous êtes mal garée.

— Oh ! mon Dieu ! Tu ne m'as pas verbalisée, au moins ?

— Pas encore.

— Parce que M. Metz n'arrête pas de me houspiller quand j'ai une amende. De toute façon, ça fait juste une minute ou deux que je suis là. N'est-ce pas, Jane ?

— Deux minutes, répondit celle-ci. Pas plus.

Profitant de ce que Mme Metz avait le dos tourné, Mlle Jane, plus guindée que jamais, adressa à Devin un clin d'œil discret.

— Vous pourriez peut-être, suggéra-t-il patiemment, vous garer ailleurs. Il y a de la place un peu plus bas dans la rue.

— C'est ce que je vais faire, dit-elle avec conviction. C'est ce que je vais sûrement faire. Dès que j'en aurai terminé ici. Ma chère Jane ? Voudriez-vous enregistrer ces quelques livres pour moi… je ne sais pas ce que je ferais sans lecture. M. Metz, lui, est toujours planté devant sa télé. Pendant ce temps, Devin va nous donner quelques nouvelles de sa famille.

Devin ne commit pas l'erreur de tenter de résister. Savoir battre en retraite au moment opportun pouvait parfois se révéler plus efficace que mener coûte que coûte une bataille perdue d'avance.

— Tout le monde va bien, répondit-il prudemment.

— Et ces délicieux petits anges…, insista Mme Metz. Jamais je n'aurais imaginé voir deux de tes frères se marier et avoir des enfants à quelques mois d'intervalle ! Il faudra bien que je me décide à aller les voir bientôt.

— Les bébés vont bien également…, ajouta Devin, radouci. Ils poussent.

— Oh ! J'imagine qu'ils doivent pousser comme la mauvaise herbe. N'est-ce pas, Jane ? Comme leurs pères avant eux. Quel effet cela te fait-il d'avoir à présent un neveu et une nièce ?

— Deux neveux et une nièce, corrigea Devin.

En même temps qu'il avait épousé Savannah Morning-star, Jared avait adopté son fils Bryan, ce qui faisait de lui un MacKade. Mais même sans cette adoption, Devin aurait considéré ce garçon comme son neveu, tant il semblait évident à ses yeux qu'il faisait de plein droit partie de la famille.

— Oui, c'est vrai…, reconnut Mme Metz. Deux neveux. Cela ne te donne pas l'envie de bâtir ton propre nid ?

Alléchée à l'idée d'un commérage inédit à colporter, elle attendit sa réponse en le dévisageant sans vergogne, prête à deviner sur ses traits ce que ses mots ne diraient pas. Habitué à ces manœuvres, Devin réussit à conserver une parfaite impassibilité.

— Le fait d'être oncle me convient très bien, répondit-il de manière évasive.

Puis, espérant que sa belle-sœur ne lui en voudrait pas trop, il ajouta pour se tirer de ce mauvais pas :

— Regan garde le petit Nate à sa boutique, aujourd'hui. Je les ai vus ce matin.

— Vraiment ?

— Elle m'a dit aussi, poursuivit Devin, que Savannah la rejoindrait sans doute dans la matinée avec Layla.

— Pas possible.

Les yeux de Mme Metz brillèrent de convoitise. La perspective de s'entretenir simultanément avec les femmes de Jared et Rafe et de pouvoir par la même occasion admirer leurs bébés était une opportunité qu'elle ne pouvait manquer.

— Ma chère Jane ? s'impatienta-t-elle. Si vous en avez terminé, je vais y aller. J'ai quelques courses à faire. Et puis il paraît que je suis mal garée.

Sans commentaire, la très digne bibliothécaire lui tendit un sac de toile aussi bariolé que la robe de sa propriétaire, gonflé de sa provision de livres pour la semaine. Aussitôt que Mme Metz eut vidé les lieux, le visage de Jane Poffenberger s'adoucit et ses lèvres s'ourlèrent d'un sourire bon enfant.

— Tu es un brave garçon, Devin. Tu l'as toujours été.

— Si Regan apprend qu'elle me doit cette visite, dit-il, elle va me tuer. Ravi de vous avoir revue, mademoiselle Jane.

En lui adressant un petit salut militaire assorti d'un sourire, il prit congé de la vieille dame et se dirigea vers la sortie. Redevenue cette caricature d'elle-même qu'elle était aux yeux de tous depuis quarante ans, Jane Poffenberger se redressa derrière son comptoir et força la voix pour le saluer à sa façon.

— Et essaie de ne plus perdre de livre, Devin MacKade ! Chaque livre est un trésor. Tâche de ne pas l'oublier.

Chaque jour, généralement en fin d'après-midi, Devin se faisait un devoir de pousser jusqu'à ce qui s'appelait à présent officiellement la Résidence MacKade. Après tout, c'était la propriété de son frère Rafe et l'une des rares entreprises florissantes de la ville. Quel genre de shérif aurait-il été — et quel genre de frère — s'il n'avait pris la peine d'y exercer de temps à autre une surveillance active ?

Le fait que Cassie Connor, désormais responsable de la bonne marche de la maison d'hôtes, eût investi avec ses deux enfants l'appartement de fonction du deuxième étage n'entrait évidemment pas en ligne de compte. Il se contentait de faire ce qu'il avait à faire, voilà tout. Ce qui n'était, somme toute, qu'un demi-mensonge, songeait-il en se glissant derrière le volant de sa voiture de patrouille.

Ce qu'il avait à faire — ou plus exactement ce qu'il ne pouvait s'empêcher de faire — c'était d'approcher au moins une fois par jour la femme qu'en secret il aimait toujours. Il ne pouvait se passer de ces quelques instants volés, aussi douloureux pussent-ils être pour lui. Simplement pour ne pas devenir fou. Ou peut-être également pour entretenir un espoir qu'il savait pourtant condamné.

Lorsque son divorce avait été officiellement prononcé et que Cassie Dolin était redevenue Cassie Connor, Devin s'était interdit d'espérer. Traumatisée de longues années durant par celui qui aurait dû, selon ses vœux de mariage, la chérir et la protéger, Cassie ne pourrait sans doute pas de sitôt — et peut-être même jamais plus — supporter la présence d'un homme auprès d'elle.

Au moins avait-il la satisfaction de savoir que le salaud qui l'avait massacrée, au propre comme au figuré, était derrière les barreaux. Dieu merci, Joe Dolin ne recouvrerait pas la liberté de sitôt. Mais même si tout danger, de ce côté, semblait écarté, Devin veillait jalousement au bonheur et à la sécurité de Cassie et de ses enfants. Par devoir autant que par plaisir. Qui sait ? Peut-être parviendrait-il aujourd'hui à faire éclore un vrai sourire sur ce visage qui avait jusqu'à présent trop pleuré ?

Ce que des générations d'habitants d'Antietam avaient appris à connaître comme « la vieille maison Barlow » se dressait à flanc de colline, à la sortie de la ville. En la voyant apparaître sur sa droite dans son champ de vision, Devin songea qu'en dépit du fait qu'elle était devenue la Résidence MacKade, elle resterait sans doute connue dans le pays sous son nom d'origine.

Les Barlow, propriétaires terriens et riches commerçants, avaient bâti et habité cette belle demeure une centaine d'années avant la guerre civile. Ils y avaient mené une existence fastueuse, jouissant de la vue imprenable dans un luxe cossu, entourés d'une nombreuse domesticité et n'ayant d'autre souci que l'organisation de bals huppés, où se pressait la meilleure société.

La légende rapportait qu'au plus fort de la bataille d'Antietam, un jeune militaire sudiste était mort au beau milieu du grand escalier de marbre, assassiné par le maître de maison sous les yeux de sa femme, qui tentait de secourir le soldat blessé. La légende disait aussi que la dame n'avait depuis ce jour plus jamais adressé la parole à son époux, et qu'elle avait fini par mourir de chagrin, deux ans plus tard, recluse dans sa chambre.

De cette tragique histoire datait la décadence de la maison Barlow. Sans être désertée tout de suite, l'antique demeure avait connu bien des vicissitudes au fil du temps, voyant défiler entre ses murs propriétaires et locataires successifs qui ne s'y attardaient jamais bien longtemps. Puis la maison était restée définitivement vide et fermée, menaçant ruine dans l'indifférence la plus totale, gagnant définitivement de ce fait sa réputation de maison hantée.

Jusqu'à ce que Rafe MacKade, l'un des enfants les plus turbulents de la petite cité, ne se mette en tête après dix ans d'absence de revenir à Antietam pour relever le défi de la restaurer. Ainsi la vieille demeure avait-elle recommencé à vivre. Dans cette aventure, Rafe n'avait pas gagné que l'estime de ses concitoyens. Elle lui avait également permis de rencontrer l'amour.

Car si la vieille maison Barlow avait aujourd'hui retrouvé son faste d'antan, c'était à Rafe et Regan MacKade qu'elle le devait. Ensemble ils avaient transformé ce vieil immeuble décrépit en une élégante demeure, accueillante et pleine de caractère.

Là où avaient prospéré les ronciers les plus inextricables poussait à présent une pelouse en terrasses, égayée de massifs fleuris et de jeunes arbres tuteurés. Devin n'était pas peu fier d'avoir aidé à les planter. Lorsqu'il s'agissait de concrétiser un rêve — ou de faire face à l'adversité —, les MacKade savaient s'entraider.

En habitué des lieux, il ne prit pas la peine de s'annoncer avant de pénétrer dans la maison. Il n'avait remarqué

sur le parking aucune autre voiture que celle de Cassie
et en avait déduit que les hôtes de la nuit étaient déjà
repartis. Sensible à la tranquille hospitalité de l'endroit, il
demeura quelques instants debout dans le hall, à admirer
les parquets polis embaumant l'encaustique, les meubles
d'époque et les tapis de prix, le monumental escalier et
son impressionnante volée de marches en marbre.

Cassie veillait à ce qu'il y eût toujours un bouquet de
fleurs fraîches dans le hall pour accueillir les visiteurs.
Chaque pièce de la grande demeure était également
décorée et embaumée d'un pot-pourri de fleurs séchées
qu'elle fabriquait elle-même. Ainsi, l'odeur ambiante de
la Résidence MacKade évoquait immanquablement celle
qui en était l'âme.

Ne sachant où la trouver, il partit à sa recherche de
pièce en pièce. A voir ce qu'était devenue la vieille maison
Barlow, il était difficile d'imaginer que moins de deux ans
auparavant elle n'était peuplée que de souris, de courants
d'air, de toiles d'araignées et de quelques fantômes. Les
parquets scintillaient dans la lumière rasante du soleil
déclinant. Un souffle d'air pénétrant par les fenêtres
ouvertes faisait danser doucement rideaux et tentures.
Et partout, meubles et bibelots anciens achevaient de
donner l'illusion d'une demeure du siècle passé.

Incontestablement, Rafe et Regan avaient accompli de
grandes choses ici. Tout comme ils étaient en train de le
faire de nouveau, dans la vieille maison qu'ils s'étaient
achetée pour y habiter, sur la route de la carrière. Devin
ne pouvait s'empêcher d'envier son frère, qui avait trouvé
non seulement la femme de sa vie avec qui fonder un
foyer, mais aussi une partenaire avec qui partager ses
rêves et ses projets.

A bien y réfléchir, il était le seul des quatre frères MacKade à n'avoir pas trouvé de point d'ancrage et de stabilité. Shane avait la ferme et ses nombreuses conquêtes féminines. Jared et Rafe avaient à présent un métier, une femme, un foyer, des enfants. Mais lui, qu'avait-il ? Une étoile au revers et un lit de camp dans la remise du bureau du shérif. Ainsi qu'un amour impossible, dont il ne parviendrait jamais, semblait-il, à faire le deuil.

La cuisine était aussi déserte que les autres pièces, mais par la fenêtre au-dessus de l'évier Devin aperçut Cassie, occupée à décrocher quelques draps de la corde à linge où ils avaient fini de sécher. Sans s'attarder davantage, il gagna la porte de service, s'efforçant d'ignorer la douleur qui lui poignardait le cœur. Depuis le temps qu'il la ressentait, il aurait pourtant dû y être accoutumé.

La femme qu'il aimait sans pouvoir le lui avouer paraissait à présent heureuse, et c'était tout ce qui comptait. Sur ses lèvres finement ourlées s'attardait un sourire pensif. Ses grands yeux gris semblaient perdus dans quelque rêve lointain. Le vent qui faisait claquer les draps agitait autour de son beau visage ses cheveux blonds. Sobre par goût autant que par nécessité dans le cadre de ses fonctions, Cassie était habillée simplement d'un chemisier blanc passé dans un pantalon à pinces bleu marine.

Ce n'était que tout dernièrement qu'elle avait recommencé à mettre quelques bijoux et à se maquiller légèrement. Elle ne portait jamais de bagues. Cela faisait un an que son divorce avait été prononcé, et Devin se rappelait exactement le jour où elle avait ôté son alliance. Mais de petits anneaux dorés ornaient ses oreilles depuis quelques mois, et elle avait pris l'habitude de souligner ses lèvres d'une touche de rouge.

Peu de temps après son mariage — Devin s'en souvenait également parfaitement —, Cassie avait renoncé à toute coquetterie. Tout comme il gardait un souvenir précis de la première fois où il avait dû intervenir au foyer des Dolin, à la demande de voisins alertés par les cris qui s'échappaient de leur maison. C'était elle qui était venue ouvrir, le visage marqué et les yeux hantés par la peur. D'une petite voix qu'elle n'avait pu empêcher de trembler, sans le regarder, elle avait mis les cris et les traces sur le compte d'une chute.

Il y avait eu pour Cassie beaucoup d'autres chutes semblables, tout le temps qu'avait duré son mariage. Et chaque fois, Devin avait dû se contenter des mêmes explications embarrassées. Bien sûr, il avait fait son devoir en insistant gentiment et en lui parlant de l'aide qu'apportent aux femmes battues les lois et quelques associations spécialisées.

Mais chaque fois, Cassie avait choisi de protéger son tyran de mari. Et chaque fois, Devin avait dû repartir avec sa frustration et son envie pressante d'écraser sous ses poings la face de brute de Joe Dolin. Tant qu'elle avait accepté d'être sa victime consentante, il n'avait eu aucun pouvoir, tout shérif qu'il fût, pour faire cesser ce qui se passait derrière les murs de cette maison. Jusqu'au jour où elle avait débarqué dans son bureau, à moitié défigurée, terrifiée, et décidée à porter plainte.

A présent, avec le concours actif de Jared et de Rafe, il l'avait aidée à sortir de cet enfer et à se bâtir une nouvelle vie. Loin de Joe Dolin et des mauvais souvenirs. En tant que shérif, il n'y avait rien de plus qu'il pût faire pour elle. Mais en tant qu'ami — à défaut d'autre chose — Devin était plus que jamais décidé à ne pas la laisser tomber.

Dès l'instant où elle avait vu Devin sortir de la maison pour la rejoindre près de la corde à linge, Cassie s'était efforcée de ne pas trahir le trouble qui s'était emparé d'elle. Calmement — car elle s'efforçait de rester calme quoi qu'il arrive ces derniers temps — elle raccrocha les épingles qu'elle avait en main avant de se tourner vers lui pour l'accueillir d'un sourire.

— Hello, Devin.

— Hello, Cass. Besoin d'un coup de main ?

Avant qu'elle ait pu refuser, Devin MacKade — le respecté shérif d'Antietam — était déjà occupé à dépendre du linge à côté d'elle, comme s'il n'y avait rien au monde de plus naturel. Elle avait beau savoir les frères MacKade aussi accoutumés aux travaux des champs qu'à ceux de la maison, elle ne s'habituerait jamais à voir un homme se consacrer aussi volontiers aux tâches ménagères. Surtout un homme aussi viril que l'était Devin.

Larges épaules, longues mains fortes, jambes musclées — tout en lui évoquait la force. Combinée à ce sourire ravageur que les MacKade semblaient avoir reçu en héritage, cette puissance physique lui conférait une séduction certaine, à laquelle il eût fallu être morte pour rester insensible. Et c'était bien parce qu'il ne perdait rien de sa virilité ni de sa séduction en pliant des draps pour les déposer dans une panière qu'elle devait se tenir sur ses gardes.

Contrairement à ses adjoints, Devin n'avait jamais porté l'uniforme kaki attaché à sa fonction. Sauf lors des grandes occasions, on le voyait invariablement habillé d'un jean et d'une chemise d'un bleu fané, aux manches roulées jusqu'aux coudes, sur laquelle il épinglait son badge. Sans doute n'y avait-il que du muscle, sous cette chemise. Il suffisait de voir le tissu se tendre au gré de ses mouvements pour s'en persuader. Et quoique Cassie eût toutes les raisons de se méfier des muscles d'un homme, Devin avait toujours été de la plus extrême gentillesse avec elle.

Pourtant, lorsque son bras tendu pour saisir une épingle effleura le sien, elle ne put s'empêcher de faire un pas de côté, ni de lui adresser ensuite un sourire gêné pour s'en excuser. Comme s'il ne s'était rendu compte de rien, Devin lui sourit en retour. Désespérément, Cassie se creusa la cervelle pour trouver quelque chose à dire.

Les choses auraient été beaucoup plus simples s'il n'avait été aussi diablement attirant. Ses cheveux bruns frisottaient le long de sa nuque. Ses yeux clairs vous transperçaient d'un seul regard. Ses lèvres pleines et sensuelles, dans son visage puissamment sculpté, semblaient être faites pour tout autre chose que parler et sourire.

Devin avait toujours été avec elle extrêmement galant et ne s'était jamais permis le moindre geste déplacé. Ils se connaissaient depuis les bancs de l'école et il lui semblait qu'il avait toujours été à ses côtés. Pourtant, chaque fois qu'ils étaient en présence l'un de l'autre sans témoins, elle se retrouvait aussi nerveuse qu'une souris confrontée à un chat affamé.

— Avec ce temps, il aurait été dommage de les faire sécher en machine.

Abruptement tirée de ses pensées par la remarque de Devin, Cassie ne put s'empêcher de sursauter et s'en voulut aussitôt.

— C'est vrai ! s'empressa-t-elle de répondre. Les

clients apprécient beaucoup de dormir dans des draps séchés en plein air. La nuit dernière, nous avions deux couples. Et j'en attends deux autres pour ce soir. Quant au week-end du Memorial Day, tout est déjà réservé !

— Du pain sur la planche en perspective…, commenta Devin.

— Oui, reconnut-elle. Encore que je n'aie pas vraiment l'impression de travailler, depuis que je suis ici.

Hochant la tête d'un air pensif, Devin la regarda lisser les draps dans la panière.

— Tu exagères, protesta-t-il. Je ne crois pas que la gérante de la Résidence MacKade soit moins occupée que ne l'était l'ex-serveuse du café Ed. Tu sais qu'Edwina Crump n'a toujours pas pardonné à Rafe de t'avoir débauchée ?

La voyant pâlir, Devin s'efforça de la rassurer.

— Je plaisantais…, assura-t-il en riant. Tu sais bien qu'Ed était ravie de l'opportunité que cet emploi représentait pour toi. Comment vont les enfants ?

— Bien. Très bien même.

Avant que Cassie ait pu achever le geste à peine esquissé de se saisir de la panière à ses pieds, Devin s'en était emparé et l'avait calée sur sa hanche, la précédant sur le chemin qui menait à la maison. Maudissant sa galanterie qui la privait d'un moyen de s'occuper les mains, Cassie les plongea en désespoir de cause au fond de ses poches et précisa :

— A cette heure, l'école est finie. Ils seront bientôt là.

— Pas d'entraînement de base-ball ce soir ?

— Non.

Cassie se hâta vers la porte de service pour la lui ouvrir,

mais une fois de plus Devin la précéda et s'effaça devant elle pour la laisser passer.

— Vince, poursuivit-elle, est très excité d'avoir pu intégrer l'équipe des Cannons.

— Et les Cannons le lui rendent bien, renchérit Devin en reposant la panière en rotin sur le sol. Il est leur meilleur lanceur cette année.

Cassie hocha la tête et se dirigea sans même y penser vers l'évier pour préparer du café.

— C'est ce que tout le monde dit, en effet. C'est étrange, il ne s'était jamais intéressé à aucun sport avant de rencontrer le fils de Savannah. Avoir Bryan pour ami lui a fait le plus grand bien.

Devin partit d'un grand rire.

— Ce n'est pas moi qui te dirai le contraire ! Mon neveu est vraiment un gosse extra.

Il y avait dans cette remarque tant de tendre fierté que Cassie, étonnée, se retourna pour le dévisager curieusement.

— Tu penses vraiment à lui ainsi ? Je veux dire… même s'il n'y a aucun lien réel entre vous ?

— Bien sûr…, répondit-il, manifestement surpris. L'esprit de famille ne repose pas que sur les liens du sang.

— C'est vrai…, reconnut-elle en baissant les yeux. Il arrive même que ces liens du sang ne fassent que compliquer les choses.

Soudain grave, Devin fit un pas dans sa direction.

— Ta mère te harcèle encore, n'est-ce pas ?

Cassie haussa légèrement les épaules et se retourna pour achever de préparer le café.

— Pas plus que d'habitude.

Se hissant sur la pointe des pieds, elle ouvrit la porte d'un placard pour y prendre une tasse et une soucoupe.

Mais lorsqu'elle sentit la main de Devin se poser sur son épaule, elle tressaillit et faillit les lâcher sur le carrelage. Sans se laisser impressionner, Devin l'incita gentiment à se tourner vers lui. Les deux mains posées sur ses épaules, il lui sourit de manière rassurante et la couva d'un regard amical.

— C'est à cause de Joe, n'est-ce pas ? Elle t'en veut toujours d'avoir divorcé ?

Cassie eut beau essayer de déglutir, les muscles de sa gorge s'y refusèrent. Sur ses épaules, les mains de Devin étaient fermes, mais en aucun cas menaçantes. Sur son visage, elle pouvait lire une certaine contrariété, mais aucune méchanceté. Vaillamment, elle s'enjoignit de ne pas baisser les yeux et prit une longue inspiration avant de répondre.

— Maman n'a jamais cru au divorce.

— Ah oui ? s'impatienta Devin. Et je suppose qu'elle ne croit pas non plus aux violences conjugales.

En dépit de ses bonnes résolutions, Cassie ne put s'empêcher de tressaillir et de détourner le regard.

— Je suis désolé…, souffla Devin en laissant retomber ses mains le long de son corps.

— Non, dit-elle. Ça ne fait rien. Je ne dois pas m'attendre à ce que les autres comprennent ce que je n'arrive pas à comprendre moi-même.

Soulagée de le voir s'éloigner, Cassie alla prendre sur une étagère une assiette de cookies sortis du four le matin même, puis les déposa sur la table avec la tasse qu'elle avait préparée pour Devin.

— Maman est ainsi, reprit-elle. Elle se moque que la loi ait puni Joe pour ce qu'il m'a fait. Elle ne veut même pas croire qu'il ait pu s'en prendre à Regan lorsqu'il cherchait à me rattraper. Tout ce qui compte à ses yeux, c'est que j'aie pu rompre les liens sacrés du mariage en demandant à divorcer. Elle se fiche de savoir que je suis heureuse et que les enfants le sont aussi.

— Tu es donc à présent heureuse, Cassie ?

— J'avais cessé de croire que je pourrais l'être un jour.

Après être allée chercher sur l'évier la verseuse de la cafetière, elle emplit la tasse de Devin et redressa la tête.

— Mais aujourd'hui, ajouta-t-elle en souriant, je crois que je le suis.

Durant quelques secondes, ils demeurèrent debout l'un en face de l'autre, à se sourire de manière empruntée.

— Tu ne vas tout de même pas me laisser boire ce café tout seul ? demanda enfin Devin.

Le sourire de Cassie se figea sur ses lèvres. L'idée qu'elle pût s'asseoir, en plein après-midi, pour se détendre avec un ami autour d'un café lui était tellement étrangère que pas un seul instant elle ne lui avait effleuré l'esprit. Prenant les choses en main, Devin alla chercher une deuxième tasse, qu'il eut tôt fait de remplir, avant de tirer une chaise et d'inviter galamment Cassie à s'y asseoir.

— Dis-moi…, reprit-il après l'avoir servie. Comment tes clients prennent-ils le fait d'avoir à passer la nuit dans une maison hantée ?

Cassie eut un sourire amusé.

— Il arrive que quelques-uns soient fort désappointés, au matin, de n'avoir rien vu ni entendu.

Luttant contre la culpabilité de ne pas être occupée à quelque chose d'utile, elle sirota son café à petites gorgées avant d'ajouter :

— Mais je dois dire que Rafe a été bien avisé de faire sa publicité sur le fait que la Résidence MacKade est une demeure hantée. Quelques-uns de nos hôtes semblent un peu nerveux lorsqu'ils nous quittent, mais la plupart se déclarent ravis d'avoir pu entendre en pleine nuit des portes claquer, des pas résonner dans le couloir, ou une femme pleurer à chaudes larmes dans leur chambre.

— Abigail Barlow…, murmura Devin. La tragique et courageuse maîtresse de maison. La belle Sudiste, mariée contre son gré à une brute yankee.

Le visage soudain grave, Cassie hocha la tête.

— La plupart du temps, poursuivit-elle, c'est en effet elle qui se manifeste. Nos clients l'entendent soupirer, sentent un parfum de roses flotter auprès d'eux, ou simplement une présence. Depuis l'ouverture, nous n'avons eu qu'un incident à déplorer.

Un sourire malicieux fulgura sur ses lèvres.

— Un jeune couple en pleine lune de miel dans la suite nuptiale, l'ancienne chambre d'Abigail. Ils nous ont quittés au beau milieu de la nuit sans demander leur reste, terrifiés.

— Tandis que toi, intervint Devin en riant, manifestement tu ne l'es pas. Cela ne te fait donc rien de cohabiter avec des fantômes ?

— Non, pourquoi ?

— Abigail ? demanda-t-il, intrigué. Tu l'as entendue, toi aussi ?

— Oh ! oui ! Souvent. Et pas seulement la nuit. Parfois, quand je suis seule ici à faire les chambres, je peux l'entendre, ou la sentir me tenir compagnie.

— Et cela ne te fait pas dresser les cheveux sur la tête ?

— Non. Comment pourrais-je avoir peur d'une femme dont je me sens tellement proche ? Tu sais, elle était presque emmurée vive ici, mariée loin de son pays d'origine à un homme qui la terrorisait, alors qu'elle était amoureuse d'un autre.

— Amoureuse d'un autre ? s'étonna Devin. Je n'en avais jamais entendu parler.

Décontenancée, Cassie reposa sa tasse un peu trop vivement, faisant tinter la porcelaine. A présent que Devin soulignait ce fait, il lui semblait bien n'en avoir jamais entendu parler elle non plus. Pourtant, elle avait l'impression d'avoir toujours su qu'Abigail était autrefois tombée secrètement amoureuse d'un autre homme. Mais cela paraissait tellement fou et irrationnel que pour rien au monde elle ne l'aurait avoué.

— J'ai dû ajouter ce détail de moi-même, expliqua-t-elle au terme d'un long silence. Parce que cela paraît plus romantique, je suppose.

Puis, s'empressant de changer de sujet :

— Emma adore Abigail, elle aussi. Elle l'appelle « la dame ». Je la retrouve très souvent installée dans la suite nuptiale, avec ses poupées.

— Et Vince ?

— Cette maison est un merveilleux terrain de jeux et d'aventures, pour lui. Pour eux tous, d'ailleurs. Une nuit que Bryan était venu dormir ici, je les ai retrouvés tous les trois en expédition au premier étage. Ils partaient à la chasse aux fantômes.

— Mes frères et moi, nous avons passé la nuit ici lorsque nous étions gamins, ajouta Devin avec un sourire nostalgique.

— De la part des terribles frères MacKade, rétorqua Cassie, je dois dire que cela n'a rien pour m'étonner. Es-tu parti à la chasse aux fantômes, toi aussi ?

— Cela n'a pas été nécessaire, répondit Devin. Je l'ai vue. J'ai vu Abigail Barlow.

Le sourire de Cassie se figea.

— Tu l'as…

— Je ne l'ai jamais dit aux autres, reprit-il sans lui laisser le temps de poursuivre. Ils m'auraient charrié pour le restant de mes jours. Mais je l'ai vue aussi bien que je te vois, assise dans le salon, près de la cheminée. Un feu de bois flambait sur les chenets, je pouvais le sentir, tout comme je pouvais sentir le parfum du bouquet de roses posé près d'elle sur un guéridon.

La voix de Devin, à présent, n'était plus qu'un murmure tranquille, qui s'écoulait dans le silence de la maison comme une envoûtante mélopée. Fascinée par ce récit autant que par celui qui le lui faisait, Cassie devait se retenir pour ne pas le dévorer des yeux.

— Elle était magnifique…, poursuivit Devin. De beaux cheveux blonds, encadrant un visage de porcelaine. Ses yeux étaient de la même couleur que la fumée qui s'élevait dans l'âtre. Elle portait une robe bleue. Je pouvais entendre le froissement de la soie lorsqu'elle bougeait. De ses mains fines et délicates, elle était occupée à broder un ouvrage dans son giron. Lorsque je suis entré dans la pièce, elle m'a regardé droit dans les yeux, en souriant. Pourtant, des larmes coulaient sur ses joues. Et puis elle m'a parlé.

— Elle t'a parlé…, répéta Cassie, l'échine parcourue de frissons. Que t'a-t-elle dit ?

Devin secoua la tête et les épaules, comme pour revenir à lui, et répondit :

— « Si seulement… » Elle m'a juste dit « si seulement… », d'une voix pleine d'espoir, et puis elle s'est volatilisée dans l'air, comme si toute cette scène n'avait été que le fruit de mon imagination. Mais je savais, et je sais toujours, que ce n'était pas le cas. Et depuis, l'espoir de la revoir un jour ne m'a pas quitté.

— Mais tu ne l'as jamais revue.

— Non. Je l'ai en revanche entendue de nombreuses fois pleurer, et je dois avouer que c'est à fendre l'âme de l'homme le plus endurci.

— C'est vrai.

Le silence, un silence gêné, retomba dans la pièce. D'un geste un peu trop nerveux, Devin acheva sa tasse.

— Je, euh…, balbutia-t-il sans oser la regarder dans les yeux. Je te serais reconnaissant de garder cela pour toi. Rafe a beau être adulte à présent, il est toujours aussi taquin et…

— Ne t'inquiète pas, assura Cassie avec un sourire. C'est un secret entre toi et moi.

Comme pour sceller ce pacte, elle saisit un cookie dans l'assiette et y mordit à belles dents. Puis, comme frappée par une évidence, elle ajouta :

— C'est donc pour cette raison que tu viens si souvent ici : dans l'espoir de la revoir.

— Pas du tout, répondit Devin sans réfléchir. C'est pour te voir toi.

Dès que ces mots eurent franchi le seuil de ses lèvres, il vit le visage de Cassie se décomposer et comprit son erreur.

— Mais aussi, s'empressa-t-il d'ajouter, pour voir les enfants. Et pour goûter à ces inimitables cookies.

Pour faire bonne mesure, il s'empara d'un biscuit qu'il fourra d'un coup dans sa bouche, le mastiquant avec des mines de gourmand réjoui. Amusée, Cassie se détendit et sourit de ce petit jeu.

— Puisque tu les aimes, dit-elle, je vais en emballer quelques-uns pour que tu puisses les emporter.

Mais alors qu'elle s'apprêtait à se lever, la main de Devin s'abattit sur la sienne. Cassie tressaillit, plus sous l'effet du choc que lui procurait ce contact intime que par crainte véritable. Incapable de la moindre parole, elle se contenta de baisser les yeux, pour fixer cette grosse main d'homme qui engloutissait la sienne sans difficulté.

— Cassie…

Devin ne put en dire plus. Il lui fallait toutes les ressources de sa volonté pour ne pas se lever, la prendre dans ses bras, caresser ces boucles blondes qui lui tombaient sur le front, et pour goûter — pour goûter enfin — à ces lèvres trop sérieuses.

S'efforçant d'ignorer le poids qui brusquement lui oppressait la poitrine, Cassie s'obligea à relever les yeux. Dans ceux de Devin, dans les yeux du shérif MacKade, si gentil avec elle, si attentionné, elle savait qu'elle n'allait découvrir que de la compassion. Mais à sa grande surprise, ce fut tout autre chose qu'elle y rencontra. Elle n'aurait su dire exactement de quoi il s'agissait, ce qui rendait cette découverte d'autant plus inquiétante.

— Devin…

Cassie sursauta et retira vivement sa main. Dans le hall s'élevait un concert de cavalcades et de rires joyeux.

— Les enfants sont là, annonça-t-elle en se levant pour les accueillir.

Emma, petite fée blonde comme les blés et bondissante comme une gazelle, fut la première à surgir dans la cuisine.

— Maman ! Comme j'ai bien travaillé, la maîtresse m'a donné une étoile dorée.

Après avoir posé sur la table son cartable, s'avisant de la présence de Devin, elle lui adressa un sourire radieux.

— Hello, Dev.

— Voilà mon petit cœur ! s'exclama-t-il en tendant les bras vers elle. Montre voir cette étoile.

Rougissante, Emma agita sous ses yeux une image d'étoile filante.

— Tu as une étoile, toi aussi, dit-elle malicieusement en désignant le badge épinglé à sa poitrine.

— Pas aussi belle que la tienne.

— Presque ! Je peux faire un câlin ?

— Et comment !

Sans effort, il la hissa sur ses genoux. Avec une absolue confiance, la fillette se nicha contre sa poitrine. Devin, remué jusqu'aux tripes, lui embrassa les cheveux, avant de saluer le frère d'Emma qui venait de les rejoindre.

— Salut, champion ! Comment ça va ?

— Bien.

Vince, un peu petit pour ses dix ans, partageait avec sa sœur une blondeur qui avec l'âge avait pourtant tendance à s'assombrir.

— Vince a eu un A en maths, intervint Emma d'un air grave. Et ce méchant de Bobby Lewis a pas arrêté de l'embêter et de lui dire de vilaines choses quand on attendait le bus.

— Emma.

Soudain très pâle, Vincent fusilla sa sœur du regard.

— Je parie, commenta Devin, que Bobby Lewis n'a pas eu de A en maths, lui.

D'un air de dignité outragée, Emma hocha la tête avec conviction.

— De toute façon, conclut-elle, Bry ne s'est pas privé de lui river son clou.

Vince, les yeux fixés sur ses chaussures, était à présent plus rouge que son pull. Pour qu'elle cesse d'embarrasser son frère, Devin détourna l'attention d'Emma en lui tendant un cookie.

Cassie, s'approchant de son fils, s'accroupit près de lui et lui posa ses deux mains sur les épaules.

— Je suis fière de vous…, dit-elle en cherchant son regard. De vous deux. Un A et une image dans la même journée, il va nous falloir fêter ça ce soir avec des glaces de chez Ed.

— Ce n'est pas si important…, marmonna Vincent.

— Pour moi ça l'est ! protesta Cassie. Ça l'est même beaucoup.

— Moi, dit tranquillement Devin, j'ai toujours été nul en maths. Jamais pu obtenir autre chose qu'un C, malgré tous mes efforts.

De nouveau, les yeux de Vincent plongèrent vers le sol. Comme ployées sous le poids de la culpabilité d'être trop brillant, ses épaules s'affaissèrent. Crâne d'œuf… Mauviette… Parasite… Il lui semblait entendre encore résonner à ses oreilles les sarcasmes de son père, que nombre de ses camarades de classe ne se privaient pas de lui resservir aussi.

Pour voler au secours de son fils, Cassie s'apprêtait à intervenir mais Devin, d'un regard rassurant, l'en dissuada.

— Pourtant, reprit-il, j'avais les meilleures notes en histoire et en anglais.

Soudain réconforté, Vincent releva vivement la tête.

— C'est vrai ?

Cela ne lui fut pas facile, mais Devin parvint à rester de marbre pour lui répondre. Ce gosse, songea-t-il, le cœur serré, en avait déjà tellement bavé que la moindre remarque maladroite, le moindre sourire mal interprété, pouvait l'atteindre en pleine face comme une gifle.

— Bien sûr, répondit-il. C'est sans doute parce que j'aime beaucoup lire, depuis que je suis tout petit.

— Vous lisez. Vous lisez des livres ?

Sans pouvoir s'empêcher d'être aux anges, Vince avait pourtant du mal à y croire. Comment un homme comme le shérif MacKade, avec un vrai métier d'homme, pouvait-il aimer lire ?

— Vous voulez dire, insista-t-il, que vous aimez lire des histoires ? Des histoires inventées ?

— Bien sûr. Ce sont les meilleures.

— Vince écrit des histoires, intervint Cassie. J'ai un fils écrivain, et je suis fière de lui.

— M'man…, murmura Vince en se tortillant nerveusement.

— C'est ce que j'ai entendu dire, reprit Devin. Peut-être un jour me laisseras-tu en lire une ?

Le portable de Devin, dont la sonnerie stridente venait de retentir, dispensa Vincent de répondre.

— Foutu téléphone ! grogna-t-il en décrochant l'appareil de son ceinturon.

— Foutu téléphone…, répéta Emma, avec un sourire angélique.

— Chut ! intima Devin en riant. Tu veux me faire gronder par ta maman ?

Se levant de sa chaise, il cala confortablement la fillette

contre sa hanche pour l'emmener en balade à travers la cuisine pendant qu'il répondait.

Deux minutes plus tard, Devin avait dû faire une croix sur le projet qu'il avait un instant caressé d'emmener toute la famille Connor dîner au Café Ed.

— Je dois y aller, dit-il en se tournant vers Cassie. Des petits malins ont fracturé la porte de la réserve de Duff Dempsey et sont repartis avec trois caisses de bière.

— Tu vas les mettre en prison ! s'enthousiasma Emma, les yeux brillants.

— Je vais essayer de les trouver, corrigea-t-il. Mais pour me donner du courage, tu vas d'abord me faire un gros baiser.

Avec un enthousiasme débordant, la fillette s'exécuta par deux fois, avant que Devin ne la repose sur le sol.

— Merci pour le café, Cass.

— Je te raccompagne, proposa-t-elle en lui emboîtant le pas. Les enfants, vous montez tout de suite à la maison vous laver les mains. Votre goûter vous attend sur la table. Je ne serai pas longue.

Dans le hall, Devin et Cassie regardèrent en souriant les deux enfants grimper quatre à quatre les marches de l'escalier.

— Merci d'avoir su parler à Vincent, dit-elle enfin en lui ouvrant la porte. Il est encore si sensible pour ce qui concerne l'école.

— C'est un garçon brillant, répondit-il. Avec le temps, je pense qu'il finira par s'accepter tel qu'il est.

— Tu l'y aides beaucoup. Il t'admire, tu sais.

Devin haussa les épaules.

— Cela ne m'a pas coûté grand-chose de lui apprendre que comme lui j'aime lire.

Sur le seuil, il sembla hésiter un court instant, avant de se retourner vers Cassie.

— Vince représente beaucoup pour moi…, murmura-t-il d'une voix étranglée par l'émotion. Vous représentez beaucoup pour moi, tous les trois.

Voyant que Cassie, troublée, s'apprêtait à parler, Devin saisit sa chance et lui effleura doucement la joue du bout des doigts.

— Vous représentez beaucoup, répéta-t-il. Beaucoup.

Puis, il se retourna et marcha à grands pas vers le parking et sa voiture de patrouille, laissant Cassie méditer sur le trouble mêlé d'une lancinante inquiétude dans lequel ces quelques mots l'avaient plongée.

Chapitre 2

Parfois, tard dans la nuit, lorsqu'elle était certaine que ses enfants étaient profondément endormis et que les clients n'avaient plus besoin d'elle, Cassie s'autorisait à déambuler à travers la maison. Bien sûr, elle ne se permettait pas de descendre au premier étage, où logeaient les hôtes de la Résidence. Mais rien ne l'empêchait de s'attarder longuement dans toutes les pièces de son appartement, d'admirer la vue que l'on avait des fenêtres, et de sentir sous ses pieds nus la fraîcheur rassurante du parquet de bois ciré.

Avoir un foyer bien à elle lui procurait un sentiment de liberté et de sécurité qu'elle avait encore quelque difficulté à considérer comme acquis. De même, elle avait un peu de mal à réaliser que c'était bien elle qui avait choisi et payé les rideaux, les tables, les meubles, les lampes, et jusqu'au moindre bibelot.

Cette nuit-là, le sommeil tardant à venir, elle refaisait une fois encore la revue de détail de ses maigres possessions. Tout n'était peut-être pas de première jeunesse, songeait-elle avec ironie, mais à ses yeux tout paraissait tellement neuf.

Ce qu'avait contenu la maison qu'elle avait partagée autrefois avec son ex-mari avait été intégralement vendu ou donné à des œuvres. Sans même avoir besoin d'y réfléchir, cela lui avait semblé le plus sûr moyen de repartir de zéro, de laisser le passé derrière elle, à défaut de l'effacer, et de se donner toutes les chances de réussir sa nouvelle vie.

Après avoir terminé sa ronde, Cassie se décida à descendre au rez-de-chaussée, où elle pourrait tout à loisir arpenter la demeure endormie, de la cuisine au grand salon, de la salle à manger au solarium empli de plantes magnifiques. La bibliothèque était la seule pièce où elle évitait de mettre les pieds. L'endroit, en dépit de ses fauteuils profonds, de ses murs tapissés de livres, de sa grande table éclairée par deux lampes en cuivre, lui donnait la chair de poule.

Instinctivement, elle avait senti que cette pièce avait été autrefois le royaume jalousement gardé de Charles Barlow, le mari d'Abigail, un homme suffisamment dépourvu de conscience pour assassiner sous les yeux de sa femme un jeune soldat blessé et sans défense. Sur les marches du grand escalier où le drame s'était déroulé, il arrivait souvent à Cassie d'être glacée jusqu'à la moelle par l'horreur de ce geste de dément. De temps à autre, il lui semblait même entendre la détonation, suivie des cris affolés des domestiques témoins de la scène.

Sachant de quelle brutalité gratuite les hommes peuvent se rendre coupables, elle ne s'étonnait guère d'être réceptive aux rémanences d'un meurtre commis il y avait plus de cent ans. Tout comme elle acceptait sans discuter la présence entre ces murs de la femme admirable, au destin tragique, qui y avait tant souffert. Abigail Barlow n'était pas pour elle que l'écho d'un sanglot au fond d'un couloir obscur ou un parfum de roses venu d'on ne sait où. Elle était une âme en peine, à laquelle elle se sentait intimement liée, et dont elle comprenait les souffrances pour les avoir elle-même endurées.

Sans doute était-ce ce qui lui avait permis d'apprendre qu'Abigail avait aimé un autre homme que son mari, pour lequel elle n'avait jamais éprouvé le moindre sentiment. Durant des années, elle avait rêvé de cet inconnu, avait désespéré connaître un jour ce qu'est l'amour entre ses bras. C'étaient là des émotions, des sentiments, que Cassie ne pouvait que partager et comprendre. Voilà pourquoi elle s'était tout de suite sentie attendue, accueillie, appréciée entre les murs de cette maison que beaucoup redoutaient.

Cela faisait presque un an qu'elle avait accepté l'offre inespérée de Regan et Rafe d'emménager avec sa famille à la Résidence MacKade. Elle était encore tout étonnée de la confiance qu'ils lui témoignaient en lui offrant ce job, et elle travaillait dur pour la mériter. Travailler n'était pas tout à fait le mot juste, songeait-elle en pénétrant dans le salon baigné par la lumière de la lune. S'occuper du ménage et de l'intendance dans un endroit aussi merveilleux, préparer les petits déjeuners, accueillir les hôtes, tenait bien plus du conte de fées que du bagne.

Elle se sentait tellement bien entre ces murs que les cauchemars qui l'avaient terrifiée pendant si longtemps, même après l'arrestation de Joe, ne la visitaient plus que rarement. Il ne lui arrivait plus de s'éveiller en sursaut, le cœur au bord des lèvres, trempée de sueur, l'oreille aux aguets, persuadée d'avoir entendu près de son lit le pas lourd de son ex-mari, ou sa voix grondant d'un désir vicieux. Oui, elle était ici en sécurité. Ses enfants pouvaient goûter à la paix et à la stabilité d'un vrai foyer. Et pour la première fois de son existence, elle était libre de ses choix et de ses décisions et n'avait de comptes à rendre à personne.

Resserrant sur sa poitrine les pans de sa robe de chambre, Cassie s'assit sur le banc de pierre installé dans l'embrasure de la plus haute fenêtre du salon. Elle se promit de ne pas y rester longtemps, car même si ses enfants avaient le sommeil lourd et paisible, il y avait toujours un risque qu'ils se réveillent en ayant besoin d'elle.

Il était aussi merveilleux que réconfortant de voir à quelle vitesse Emma était sortie de sa timidité maladive pour devenir une petite fille vive et malicieuse. Son frère, hélas, mettrait plus de temps à oublier l'enfer dans lequel il avait grandi. A sa grande honte, Cassie avait fini par comprendre que Vince avait vu, entendu et subi bien plus qu'elle ne l'avait espéré au cours de toutes ces années où elle avait été la victime consentante de son tyran de mari. Mais peu à peu — bien des signes en attestaient — il commençait à sortir de sa coquille lui aussi.

C'était par exemple un soulagement de voir comment ses enfants se comportaient dorénavant avec Devin, et à bien y réfléchir, avec tous les frères MacKade. Il y avait eu toute une époque où Emma n'aurait jamais ouvert la bouche en présence d'un homme, et où Vince aurait baissé les yeux en faisant le gros dos, dans l'attente des cris et des coups. Tout cela appartenait au passé. Cet après-midi même, n'avaient-ils pas discuté et plaisanté tous les deux avec leur visiteur, dans un parfait climat de confiance ?

Cassie aurait bien voulu en être là, elle aussi. Devin avait quelque chose qui l'impressionnait toujours, qui faisait qu'elle ne se sentait jamais tout à fait libre de ses actes et de ses paroles en sa présence. Ce devait être, songea-t-elle, le badge qu'il portait épinglé à sa poitrine.

Il lui était beaucoup plus facile et naturel d'aller vers Rafe, Jared ou Shane. Elle ne sursautait pas lorsque l'un d'eux posait la main sur son bras, et ne rougissait pas lorsqu'il leur arrivait de lui sourire. Il en allait hélas tout différemment avec Devin.

Sans doute parce qu'il était l'homme à qui elle avait dû se confier, lorsqu'il lui avait fallu porter plainte contre son mari, pour mettre un terme aux années de calvaire qu'il lui avait fait subir. Dans le détail, elle avait dû lui raconter les humiliations, les coups, les abus. Pour les besoins de l'enquête, elle avait été obligée de lui dévoiler les traces livides qui lui marquaient le corps. Même les poings de Joe lui avaient semblé moins humiliants et moins redoutables qu'une telle épreuve.

Cassie savait que Devin était révolté par ce que Joe lui avait fait subir, et que sa compassion naturelle le portait à prendre soin d'elle et de ses enfants. Depuis qu'il avait été élu à ce poste, on pouvait dire qu'il prenait à cœur ses responsabilités de shérif. Il était bien loin le temps où les habitants d'Antietam ne le connaissaient que comme l'un de ces quatre voyous de frères MacKade.

Mais derrière l'homme bon et admirable qu'il était devenu, Cassie savait que subsistait l'homme fort et rude, capable de faire cesser une bagarre dans un bar d'un simple regard, ou d'user de ses poings lorsque cela se révélait insuffisant. Pourtant, elle ne l'avait jamais connu que sous son jour le plus charmant et le plus serviable. Depuis toujours, il s'était montré attentionné pour elle et les enfants. Et depuis l'arrestation de Joe, elle lui devait beaucoup.

Posant sa joue contre la surface froide de la vitre, Cassie ferma les yeux et se promit de faire à l'avenir le nécessaire pour se détendre en présence de Devin. Cela, elle était capable de le faire. Au cours des mois précédents, n'était-elle pas déjà parvenue, par un effort délibéré de volonté, à être à l'aise en présence des clients de la Résidence ? Cela avait tellement bien fonctionné qu'il lui arrivait même de se sentir compétente et parfaitement à sa place dans ce rôle.

De la même manière, elle allait s'efforcer de ne plus être aussi craintive lorsque Devin serait auprès d'elle. Il lui suffirait d'oublier le badge et de se rappeler que celui qui le portait était l'un de ses plus vieux amis. Pour faire abstraction de ses mains impressionnantes et ne plus craindre ce qui se passerait s'il se fâchait et se décidait à les utiliser contre elle, il lui suffirait de se rappeler combien il avait été doux, cet après-midi-là, de sentir ses doigts s'attarder le long de sa joue.

Saisie par un frisson à cette évocation, Cassie se pelotonna un peu plus confortablement sur le banc de pierre. Et soudain, par quelque tour de son imagination, ce fut comme si Devin était là, tout à côté d'elle, le visage illuminé par ce sourire qui faisait naître en elle toutes sortes de sensations curieuses.

De nouveau, ses doigts s'attardaient le long de sa joue. Bien loin d'en être troublée, Cassie aurait été fort désappointée qu'ils se retirent. Maintenant, il la serrait contre lui. Oh ! que ce corps contre le sien était dur ! Entre ses bras si puissants et pourtant tellement accueillants, elle se sentait trembler comme une feuille, mais c'était bien plus sous l'effet de l'excitation que de la peur. Il était si grand, si fort, qu'il aurait pu la briser en deux s'il l'avait voulu. Et pourtant, ses mains incroyablement douces ne faisaient que soulever à leur passage sur sa peau de délicieuses vagues de plaisir.

Rêvait-elle, ou la bouche de Devin avait-elle pris possession de la sienne ? Désormais, elle n'avait plus aucune envie qu'il s'arrête. Même lorsque sa langue s'aventura entre ses dents. Même quand ses mains vinrent se glisser sous ses seins, comme s'il s'agissait de la chose la plus naturelle au monde. Cassie s'entendit gémir, se sentit fondre, comprit que tout son corps, contre sa volonté, semblait éclore et s'ouvrir à lui. Affolée de s'apercevoir qu'elle ne souhaitait plus que cela, elle le sentit s'insinuer en elle, si dur, si puissant, et pourtant si doux.

Comme une salve d'artillerie réduisant son rêve à néant, le carillon d'une horloge ancienne sur la cheminée vint brusquement la ramener à la réalité. Les yeux écarquillés dans le noir, la peau moite de sueur, luttant pour retrouver son souffle, elle était seule sur le banc de pierre. Mais si toute cette scène n'avait été qu'une illusion née de son esprit enfiévré, le feu qu'elle avait allumé en elle n'avait rien quant à lui que de très réel. Un feu qui n'avait plus brûlé dans son ventre depuis ses jeunes années, et dont elle n'aurait même jamais pensé qu'elle pût un jour de nouveau le ressentir.

La honte, une honte aussi soudaine et vive que le désir qui s'était emparé d'elle, la submergea. Comme si cela avait pu suffire à la protéger d'elle-même, elle s'empressa de resserrer sur sa poitrine les pans de sa robe de chambre. Comment avait-elle pu entretenir de telles songeries vis-à-vis de Devin, qui avait été si bon, tellement prévenant, et d'une gentillesse totalement désintéressée avec elle ?

Cela était d'autant plus incompréhensible de la part de quelqu'un qui comme elle n'avait jamais eu aucune attirance pour les choses du sexe. Depuis sa misérable nuit de noces, le sexe était quelque chose qu'elle avait appris à redouter, puis à tolérer, faute de pouvoir s'y soustraire, mais qui ne lui avait jamais apporté le moindre plaisir. Elle en était arrivée à croire qu'elle n'était tout simplement pas douée pour cela, comme son ex-mari n'avait jamais cessé de le lui dire.

Mais lorsqu'elle se redressa, décidée à regagner son appartement, ses jambes avaient encore du mal à la porter et une chaleur persistante irradiait de son bas-ventre. Maudissant la faiblesse de son propre corps, elle inspira longuement pour se remettre les idées en place et comprit qu'après tout elle n'avait pas été dans le salon aussi seule qu'elle l'avait cru. L'air embaumait d'une senteur de roses. Abigail était avec elle. Confortée par cette idée, Cassie se hâta vers l'escalier de service, pressée à présent de regagner son lit.

Devin n'avait plus que quelques rapports à taper avant d'en avoir terminé avec les paperasseries de la matinée. Retrouver et appréhender les cambrioleurs de la Duff's Tavern — un trio d'adolescents dépassés par leur propre audace — s'était révélé d'une déconcertante facilité. Il y avait aussi cet accident de la circulation sur Brook Lane pour lequel Lester Woops, qui tenait à sa nouvelle voiture comme à la prunelle de ses yeux, avait fait un raffut de tous les diables. Ensuite, lorsqu'il en aurait terminé avec ces deux incidents majeurs qui agitaient encore la rumeur publique d'Antietam, il aurait bien gagné le droit d'aller déjeuner.

A l'autre bout de la pièce, Donnie Banks, l'un de ses

deux jeunes adjoints, mettait à jour le registre des contraventions. Comme à son habitude, ses doigts martelaient sur le plateau métallique du bureau un rythme entêtant que Devin s'efforçait en vain d'ignorer. Il faisait chaud. Leur budget ne leur permettant pas l'air conditionné, les fenêtres grandes ouvertes laissaient passer la rumeur d'un trafic automobile plutôt maigre, même en cette heure de pointe.

Avant de se rendre à pied au café Ed's, Devin devrait encore faire un saut au bureau de Poste. Depuis que Crystal Abbott, sa secrétaire et standardiste, était en congé de maternité, il devait s'occuper lui-même du courrier. Il n'avait pas trouvé à la remplacer mais ne s'en souciait guère. Même s'il trouvait toujours à remplir ses journées, on ne pouvait dire qu'il était débordé de travail. Le cours de la vie à Antietam était aussi calme et régulier qu'il était censé l'être dans une localité comptant moins de deux mille cinq cents âmes.

Son devoir était de faire en sorte que rien ne change. Etats d'ébriété sur la voie publique, tapages nocturnes, infractions routières et disputes domestiques constituaient la plupart des désordres auxquels il lui fallait faire face. Il arrivait de temps à autre que les choses dégénèrent, mais, en sept ans d'activité, il n'avait été obligé de dégainer son arme que deux fois, et ne s'en était jamais servi. Persuasion et fermeté suffisaient en règle générale à ramener à la raison les plus récalcitrants. Et lorsque ce n'était pas le cas, un bon coup de poing faisait la différence.

Le téléphone se mit à sonner et Devin lança un regard chargé d'espoir à son adjoint, qui ne prit pas la peine de tendre le bras vers le poste posé près de lui, et encore moins de rompre le rythme de ses doigts martelant le bureau. Avec un soupir résigné, il décrocha pour répondre lui-même. Il en était à tenter de calmer tant bien que mal une femme hystérique accusant sa voisine d'avoir dressé son chien à fertiliser son parterre de pétunias quand Jared passa le seuil du bureau.

— Oui, madame. Non, madame.

Les yeux levés au plafond, Devin indiqua d'une main à son frère le siège qui faisait face à son bureau.

— Avez-vous tenté de discuter avec elle, de lui faire comprendre qu'elle devait garder son chien dans les limites de sa propriété ?

La réponse lui fut délivrée avec une telle véhémence que Devin, avec une grimace douloureuse, éloigna vivement le combiné de son oreille. Face à lui, tout sourire, Jared croisa confortablement les mains sur son ventre et étendit les jambes devant lui.

— Oui, madame…, reprit-il lorsque son interlocutrice se fut calmée. Je suis persuadé que vous prenez grand soin de vos pétunias. Non, je vous en prie, ne faites pas ça ! Vous pourriez être poursuivie pour cruauté envers un animal. Rangez votre fusil, calmez-vous, et attendez notre arrivée. Je vous envoie tout de suite quelqu'un. Oui, madame, je vous le promets. Vous rangez votre arme et vous nous attendez… nous sommes bien d'accord ? Oui, c'est cela : allumez la télé. Au revoir, madame.

Après avoir raccroché et rempli une feuille de renseignements, Devin la tendit à son adjoint.

— Donnie ?

— Yo !

— Va faire un tour du côté d'Oak Leaf et occupe-toi de ça.

Cessant illico son entraînement de percussions, l'intéressé redressa la tête, radieux.

— Nous avons une affaire sur les bras ?

D'un œil sombre, Devin considéra son subordonné. En dépit de son uniforme soigneusement repassé, il avait tout l'air, avec sa coupe en brosse et ses yeux bleus innocents, du gamin insouciant qu'il était.

— Nous avons, répondit-il sévèrement, un caniche nain habitué à utiliser comme toilettes publiques le parterre de pétunias de la voisine de sa maîtresse, laquelle est convaincue qu'il s'agit d'un complot de ladite voisine la visant personnellement. Nous sommes donc au bord de l'émeute. Cours leur expliquer quelques règles élémentaires de bon voisinage, et tâche de les empêcher de se crêper le chignon.

— Yo !

Ravi de sa mission, Donnie saisit le mémo que son chef lui tendait et se hâta vers la sortie, fier de son bel uniforme, prêt à aller faire régner la loi et l'ordre.

— A mon avis, commenta Devin en le regardant sortir, il a dû commencer à se raser la semaine dernière.

— Attentat au caniche contre un innocent parterre de fleurs ! s'exclama Jared. Je vois que tu ne t'ennuies pas.

Devin poussa un soupir consterné et se leva pour aller servir deux cafés.

— Tu ne crois pas si bien dire…, gémit-il. Antietam est une vraie jungle urbaine. Pas plus tard qu'hier, nous avons eu une « affaire » — comme dirait Donnie — chez ce bon vieux papa Duff : trois caisses de bière portées disparues.

— Eh bien !

— J'ai pu en retrouver deux.

Après avoir tendu à Jared son gobelet de café, Devin s'assit avec nonchalance contre le rebord de son bureau.

— Celle qui manquait avait déjà été descendue par le gang de teen-agers — seize ans de moyenne d'âge — responsable du casse.

— Comment les as-tu retrouvés ?

Après avoir siroté son café à petites gorgées, Devin secoua la tête d'un air dégoûté.

— Ces idiots n'avaient rien trouvé de mieux que de se vanter de leur exploit à droite et à gauche. Quand je leur ai mis le grappin dessus, dans un champ près du lycée où ils avaient organisé une petite fête, ils étaient soûls comme des cochons. Tout ce qu'ils ont gagné, c'est une accusation de vol avec effraction et un rendez-vous chez le juge pour enfants. Je leur ai fait grâce de l'état d'ivresse sur la voie publique.

— Je crois me souvenir quant à moi, intervint Jared, d'autres caisses de bière disparues de chez Duff, et d'une autre fête bien arrosée dans les bois.

— Nous ne les avions pas volées ! protesta Devin. Nous avions laissé dans la réserve l'argent nécessaire pour payer ce que nous avions emporté.

— Un bon point pour nous…, reconnut Jared avec un sourire nostalgique. Mais Dieu que nous étions soûls !

— Et malades ! Quand nous avons fini par nous traîner jusqu'à la maison, m'man nous a fait vider la fosse à purin tout l'après-midi. Ça, plus la gueule de bois, j'ai bien cru que j'allais mourir.

— C'était le bon temps, conclut Jared avec un soupir.

Durant quelques instants, Devin soutint le regard de son frère en silence. L'élégant costume, la coupe de cheveux soignée, la cravate, les chaussures de prix, ne suffisaient pas à faire de lui autre chose qu'un MacKade.

— Je suppose, dit-il enfin, que tu n'es pas venu seulement pour parler du bon vieux temps.

— Tu as raison, reconnut Jared avec une grimace comique. Je suis venu aussi te parler de la génération montante. Layla est en train de nous faire une dent.

Devin ne put s'empêcher de sourire. Manifestement, en bon avocat qu'il était, Jared semblait décidé à mener l'entretien à sa guise.

— Aïe ! s'exclama-t-il, décidé à jouer le jeu. Je parie que ses pauvres parents n'en dorment plus la nuit.

— J'ai oublié ce que le mot « dormir » signifie.

Un sourire radieux vint aussitôt tempérer sur les lèvres de Jared l'amertume de ce constat.

— Tu sais, reprit-il, que Bryan s'est mis à changer les couches de sa sœur, lui aussi ? Il est tellement fou d'elle qu'il passe plus de temps en sa compagnie qu'en tête à tête avec sa collection d'images de base-ball. C'est dire !

Ils en rirent tous deux, puis Jared considéra son frère d'un air grave.

— Tu devrais essayer, Dev. Pour l'équilibre d'un homme, rien de tel que la vie de famille.

S'efforçant d'ignorer la pointe d'envie que la remarque de son frère suscitait en lui, Devin eut un sourire caustique.

— En tout cas, reprit Jared, on peut dire qu'elle a métamorphosé Rafe. Figure-toi que je l'ai croisé hier au supermarché, poussant son caddie en portant Nate contre lui, un biberon dans une poche et une couche dans l'autre. Un vrai papa poule !

— Tu le lui as dit ?

— Je ne suis pas fou ! Je ne tenais pas à entamer une bagarre en présence du bébé.

Devin consentit à sourire de la remarque, puis, décidant que les palabres avaient suffisamment duré, il se leva pour aller jeter son gobelet dans la corbeille.

— Et si tu arrêtais de tourner autour du pot ? demanda-t-il en se tournant brusquement vers Jared.

Avec un soupir résigné, celui-ci baissa les yeux et froissa son gobelet de plastique entre ses doigts.

— Je suis passé à la prison ce matin, commença-t-il prudemment. Comme je suis l'avocat de Cassie, le directeur voulait m'avertir de quelque chose…

Instantanément, les mâchoires de Devin se serrèrent.

— Dolin…, murmura-t-il entre ses dents.

— Oui, reprit Jared. Joe Dolin.

Pressentant ce qui allait suivre, Devin prit les devants.

— Il n'a droit à aucune libération conditionnelle avant au minimum dix-huit mois.

Il connaissait le jour exact, à l'heure près…

— Tu as raison, approuva Jared en hochant la tête. Mais il paraît qu'il se conduit comme un prisonnier modèle…

— Sans blague !

— Nous savons tous les deux qu'il bluffe, Dev… Mais le fait est qu'aux yeux de l'administration il joue le jeu. Et ça marche !

— Jamais il ne pourra obtenir sa libération sur parole à la première demande. J'y veillerai.

— Il n'en est pas question, reprit Jared. Pour le moment du moins. Mais le directeur a tenu à m'informer qu'il avait été jugé apte à intégrer les équipes de travail d'intérêt général.

Devin chancela comme s'il avait reçu un coup de poing en pleine figure.

— Et c'est prévu pour quand ? demanda-t-il d'une voix altérée par la colère.

— Ces jours-ci… Tu te doutes bien que j'ai protesté contre cette décision. J'ai mis en avant le fait qu'il ne serait qu'à quelques kilomètres de Cassie. J'ai rappelé au directeur la violence des faits qui lui étaient reprochés…

Découragé, Jared laissa retomber ses mains sur ses genoux.

— Mais cela n'a servi à rien, conclut-il sans oser regarder son frère dans les yeux. De toute façon, le directeur n'a pratiquement aucun pouvoir dans cette affaire. C'est une commission indépendante qui décide. Il a juste essayé de me rassurer en me rappelant que des mesures de sécurité extraordinaires étaient prises dès qu'un groupe de prisonniers quittait l'enceinte de la prison.

Comme un fauve en cage, les yeux étincelant d'une rage froide, Devin faisait les cent pas dans la pièce, les bras croisés derrière le dos.

— … Des mesures de sécurité extraordinaires. Tu parles ! explosa-t-il. Ça n'a jamais empêché les plus enragés de se faire la belle. J'en ai rattrapé un moi-même dans les bois, pas plus tard que l'automne dernier !

— Cela arrive, c'est vrai, reconnut Jared. Mais ils ne vont jamais bien loin. Avec leur uniforme de prisonniers, ils sont faciles à repérer, et la plupart ne connaissent pas le coin.

— Dolin connaît le coin comme sa poche…

Jared secoua la tête, découragé.

— Ce n'est pas à moi qu'il faut dire cela, Dev. Je suis contre cette décision, comme toi. Mais cela ne sera pas facile de les convaincre. Surtout quand tu sais que la propre mère de Cassie multiplie les interventions auprès des autorités et se porte garante de son ex-gendre…

— La garce ! grogna Devin, les poings serrés. Elle sait pourtant ce que ce salaud a fait subir à sa fille.

Il s'arrêta et se passa la main sur le visage.

— Dire que Cassie commence à peine à retrouver une vie normale avec ses enfants, murmura-t-il. A ton avis, comment va-t-elle réagir en apprenant cela ?

— Je m'apprêtais à le lui annoncer en sortant d'ici, répondit Jared.

— Non ! s'exclama Devin. Je m'en charge. Toi, tu continues à faire le nécessaire pour empêcher cette absurdité.

Jared eut un sourire gêné.

— Trop tard, dit-il avec résignation. A l'heure qu'il est, une équipe de prisonniers travaille sur la route 34. Dolin en fait partie…

Devin n'eut aucun mal à repérer le long de la route les vestes orange fluo des prisonniers occupés à nettoyer les fossés. Après avoir garé sa voiture derrière une camionnette au plateau encombré de sacs de déchets, il descendit sur le bas-côté. S'appuyant des deux mains sur le capot, il observa Joe Dolin qui se trouvait à quelques mètres de lui.

Les seize mois passés en prison n'avaient pas réussi à le rendre moins impressionnant physiquement. Apparemment il était même plus costaud qu'avant et un seul coup d'œil suffisait pour se rendre compte qu'il avait profité de son séjour derrière les barreaux pour transformer son embonpoint en masse musculaire. Il était de l'autre côté de la route, en train de remplir des sacs-poubelle de feuilles mortes et de déchets divers, et n'avait pas vu venir Devin. Ce dernier l'observait sans bouger, attendant patiemment qu'il se rende compte de sa présence.

Soudain il se retourna. Leurs regards se croisèrent et ne se quittèrent plus durant de longues secondes. Devin se demanda ce que le directeur de la prison aurait pensé des velléités de réhabilitation de Dolin s'il avait pu surprendre son regard à cet instant. Il y avait de la haine, de la rancœur et de la méchanceté dans ses yeux, mais aussi une froide détermination qui ne s'y trouvait pas auparavant.

Tandis que Dolin s'approchait de la camionnette pour y déposer sa charge, Devin parvint à ne pas bouger. Il se connaissait et savait que si cet homme passait à sa portée, il ne pourrait pas se retenir de lui sauter dessus. Avec amertume il songeait que l'étoile qui était épinglée sur sa poitrine lui conférait bien plus de devoirs que de droits… S'il avait été un civil, il aurait pu effacer à coups de poing le rictus narquois qui déformait le visage de Joe Dolin quitte à en assumer ensuite les conséquences. Mais il n'était pas un civil.

— Je peux vous aider, shérif ?

L'un des gardiens s'approchait de lui, le sourire aux lèvres, prêt pour une petite conversation entre collègues.

— Cela dépend de vous, répondit Devin, l'air menaçant. Vous voyez ce type ? ajouta-t-il en désignant Dolin du menton. Le grand costaud, là…

— Dolin ? s'étonna le garde. Bien sûr que je le vois.

Devin lut le nom du gardien sur son badge.

— Eh bien ! Richardson, reprit-il, si vous voulez conserver toutes vos dents, vous avez intérêt à ne pas le perdre de vue…

Le sourire se figea sur le visage de l'homme.

— Ecoutez, shérif…

— Non ! protesta Devin sans le quitter des yeux. C'est vous qui allez m'écouter ! Je vous conseille de faire en sorte que cet enfant de salaud ne puisse pas vous fausser compagnie. Je vous le conseille vivement. Si jamais par votre faute je le vois remettre les pieds dans ma ville…

Sans achever sa phrase, Devin donna un coup retentissant du plat de la main sur la tôle du capot. Puis, après avoir sèchement salué de la tête le gardien ébahi, il contourna à grands pas le véhicule pour se glisser derrière le volant.

Le visage impassible, Joe regarda la voiture de Devin MacKade disparaître avant de se remettre au travail.

Avant d'empoigner sa pelle, il tapota d'un geste machinal la poche revolver où il avait rangé la dernière lettre de sa chère belle-mère. Il la connaissait presque mot pour mot et n'avait plus besoin de la lire pour s'en délecter. Constance Connor lui était très utile pour garder un œil sur Cassie sans qu'elle s'en doute.

Ainsi, la petite garce avait réussi à se dégotter un job bien payé avec appartement de fonction. Fichus MacKade ! Il allait leur montrer, quand il serait libre, ce qu'il en coûtait de s'en prendre à lui.

Mais c'est à sa femme qu'il réserverait la joie de sa première visite… Si elle avait pensé se débarrasser de lui en s'arrangeant pour le faire coffrer, elle allait vite déchanter. Sans doute s'imaginait-elle pouvoir refaire sa vie sans lui, à présent qu'elle avait obtenu le divorce. Il n'était pas du genre à se laisser éjecter ainsi, et il allait bientôt le lui prouver.

Même si Cassie avait les juges avec elle, il avait quant à lui une alliée de choix. Il n'avait jamais pu supporter cette vieille chouette de Constance Connor et ses lettres pleines de prêchi-prêcha lui donnaient la nausée, mais savoir qu'elle travaillait sans relâche à sa réhabilitation méritait quelques sacrifices.

Toutes les semaines, sans exception, il lui envoyait des lettres à fendre le cœur. Il lui disait combien il regrettait sa conduite passée, comment il avait fini par comprendre ses erreurs, de quel secours la religion avait été pour lui, et combien ses enfants et sa femme lui manquaient.

Bien entendu, ce n'était qu'un tissu d'âneries. Il se fichait autant de ses gosses que du bon Dieu… Mais il savait qu'il devait jouer le jeu s'il voulait revoir Cassie. Car c'était elle qu'il voulait, et rien qu'elle ! Pour lui remettre les idées en place. Pour lui faire payer chèrement chaque heure passée derrière les barreaux. Pour lui montrer qui était le maître, comme au bon vieux temps.

Divorcée ou non, ça ne changeait rien. Qu'elle le veuille ou non, elle était sa femme, pour le meilleur et pour le pire, jusqu'à ce que la mort les sépare. Et il n'allait pas tarder à le lui rappeler…

Chapitre 3

Plutôt que de se rendre directement chez Cassie, Devin fit un détour par la prison. Il avait confiance dans les talents d'avocat de Jared, mais il tenait à faire peser dans la balance le poids de sa propre autorité.

En exposant ses arguments au directeur, il s'efforça de garder son calme et de se montrer convaincant. Mais rien de ce qu'il avança ne parut de nature à écorner l'image de prisonnier modèle que Dolin avait réussi à se façonner. Comme le directeur le lui confirma d'une voix neutre, Joe Dolin travaillait dur, respectait scrupuleusement le règlement, fréquentait la chapelle avec assiduité, et montrait toutes les apparences de la repentance lors des séances de psychothérapie qu'il avait accepté de suivre. En toute logique, il ne pouvait que faire partie des prisonniers autorisés à travailler à l'extérieur.

Devin quitta la prison avec le sentiment que le système qu'il défendait si âprement venait de lui assener une claque en pleine figure. Il ne lui restait plus qu'à aller annoncer la mauvaise nouvelle à Cassie, avec le maximum de ménagements, et c'est ce qu'il se résolut à faire, la mort dans l'âme.

Il la trouva dans le salon, en train d'astiquer une table. Tout à sa tâche, elle ne l'avait pas entendu arriver. Devin en profita pour l'observer. Malgré le tablier blanc passé sur ses vêtements, et même avec un chiffon à la main, il émanait d'elle un charme auquel il lui était difficile de résister. Elle paraissait si heureuse, si insouciante, que c'était un véritable crève-cœur que d'avoir à lui saper le moral.

Nerveusement, Devin fourra les mains dans ses poches avant d'appeler :

— Cass ?

En le découvrant debout derrière elle, Cassie fit un bond en arrière. Instantanément, elle rougit jusqu'à la racine des cheveux et tripota nerveusement son chiffon à poussière, sans oser lever les yeux vers lui.

— Cassie ? répéta Devin, un peu inquiet. Tout va bien ?

Il la vit se redresser pour lui faire face et songea qu'elle paraissait bien plus troublée qu'effrayée. Elle serait partie en emportant la caisse d'Edwina Crump qu'elle n'aurait pas arboré une mine plus coupable.

— Tout va bien…, parvint à répondre Cassie en lui adressant un sourire de bienvenue. J'avais la tête ailleurs, c'est tout.

Devin fronça les sourcils. L'attitude de Cassie paraissait décidément des plus étranges.

— Tu en es sûre ? insista-t-il.

Pour se donner une contenance, Cassie fourra son chiffon dans le casier à produits d'entretien posé à ses pieds.

— Tout va parfaitement bien, assura-t-elle d'une voix peu convaincante. Le couple qui a dormi ici cette nuit est parti visiter le champ de bataille. Ils m'ont dit qu'ils resteraient sans doute une nuit de plus. Ils viennent de Caroline du Nord. Le mari est féru d'histoire et sa femme de vieilles demeures. Je leur ai donné toutes les brochures possibles et imaginables et je leur ai fait visiter la maison. Ils ont tout voulu voir et savoir de la maison Barlow. La perspective de croiser un fantôme au détour d'un couloir les excite particulièrement.

Cassie ponctua son discours d'un petit rire nerveux. Devin hocha la tête d'un air dubitatif, ébahi de la voir ainsi transformée en moulin à paroles alors qu'il lui fallait habituellement ruser pour lui soutirer trois phrases d'affilée.

— Veux-tu que je te fasse un peu de café ? demanda-t-elle.

Puis, sans attendre sa réponse, elle se hâta vers la cuisine.

— Oui, décida-t-elle. Je vais te faire un peu de café. Et tu vas goûter au « brownie » que j'ai préparé ce matin.

Lorsque Devin la rattrapa et lui posa une main sur l'avant-bras, elle sursauta et écarquilla les yeux, comme une biche surprise au détour d'une route par les phares d'une voiture.

— Cassandra…, dit-il d'une voix douce mais ferme. A présent tu vas te calmer et nous allons nous asseoir quelques instants. Je n'ai besoin ni de brownie ni de café, mais j'ai quelque chose à te dire.

— Oh !

Le visage de Cassie se rembrunit.

— Que se passe-t-il ? demanda-t-elle d'une voix sourde. Il y a un problème ?

— Pas nécessairement, répondit Devin avec son sourire le plus rassurant. Viens, asseyons-nous.

Parce qu'il souhaitait lui tenir les mains en s'adressant à elle, il l'entraîna vers un petit divan bas, dans lequel il se faisait toujours l'effet d'être un géant.

— Tout d'abord il faut que tu saches qu'il n'y a aucune raison pour que tu t'inquiètes, commença-t-il prudemment.

Devin sentit les mains de Cassie trembler entre les siennes.

— C'est à propos de Joe…, lâcha-t-elle dans un souffle. Ils l'ont… Ils l'ont relâché.

— Bien sûr que non ! protesta Devin. Quoi qu'il arrive, il ne pourra pas être libéré de prison avant très longtemps.

Pâle comme une morte, Cassie reprit aussitôt, sans lui laisser le loisir de poursuivre :

— Alors, il veut voir les enfants. C'est cela ? Oh ! mon Dieu ! Il veut voir les enfants.

Se maudissant de sa maladresse, Devin secoua la tête d'un air désolé. A trop vouloir la protéger en différant la nouvelle, il ne faisait que la placer sur des charbons ardents.

— Absolument pas ! s'empressa-t-il de démentir. Ce n'est pas de cela qu'il s'agit. C'est du programme de travail d'intérêt général des prisonniers mis en place par l'Etat. Tu es au courant ?

— J'en ai entendu parler, confirma-t-elle. Certains prisonniers bien notés sont autorisés à sortir quelques heures par semaine pour effectuer des travaux utiles à la collectivité et…

Cassie ferma les yeux et un frisson lui secoua les épaules.

— C'est donc cela…, murmura-t-elle. Il travaille à l'extérieur, n'est-ce pas ?

— Oui…, répondit Devin, soulagé d'en avoir terminé avec la part la plus délicate de sa mission. On lui a assigné un travail de cantonnier. Il s'occupe de l'entretien des routes, ce genre de choses… Je veux que tu saches que tu n'as absolument pas à t'en faire pour cela. Je me suis arrangé pour être tenu au courant de l'emploi du temps de son équipe. Je saurai au jour le jour où il se trouve, et je t'en tiendrai informée. Je ne tiens pas à ce que tu tombes sur lui par hasard et que tu en sois effrayée.

— Très bien.

Cassie avait parlé d'une voix parfaitement sereine. Surprise, elle constata que la peur était là, bien sûr, mais parfaitement contrôlable. Après tout, n'avait-elle pas déjà survécu à bien pire que cela ?

— Je suppose qu'il est étroitement surveillé, reprit-elle.

— Les gardiens ne le lâchent pas d'une semelle, confirma Devin.

Pour rien au monde il ne lui aurait révélé avec quelle facilité les prisonniers parvenaient à échapper à la vigilance de leurs surveillants.

— Chaque fois que Joe sera dehors, renchérit-il, j'irai faire un tour sur son chantier, où que ce soit. Et parce que je veux que tu te sentes parfaitement en sécurité, j'enverrai un de mes hommes en patrouille ici, une ou deux fois par jour.

Ainsi qu'à l'école, songea-t-il sans le lui dire, pour ne pas l'inquiéter.

— Il est toujours en prison..., dit Cassie d'une voix résolue, comme si elle cherchait à s'en convaincre elle-même. Les gardiens le surveillent.

— Tu as tout à fait raison, approuva Devin, soulagé de la voir prendre les choses ainsi.

Puis, après un instant d'hésitation, il ajouta :

— Jared va tenter de protester contre cette mesure de clémence. Mais je dois t'avouer que cela ne servira pas à grand-chose. Ta mère ne nous facilite pas la tâche en se portant garante pour lui. Elle intervient sans cesse en sa faveur auprès du directeur de la prison.

Cassie poussa un soupir résigné et redressa les épaules.

— Je suis au courant, répondit-elle. Elle et Joe n'arrêtent pas de s'écrire. Elle me montre ses lettres en espérant me faire revenir vers lui. Mais cela ne change rien pour moi. Je ne repasserai jamais par où je suis passée. Jamais plus mes enfants ne revivront ce qu'ils ont vécu. Nous allons nous en sortir.

— Mais vous vous en êtes déjà sortis ! protesta Devin.

Et il allait tout faire pour que les portes de l'enfer qu'ils avaient traversé restent à jamais fermées derrière eux.

— Je suis désolé de t'avoir fait peur ainsi, reprit-il avec un sourire confus.

— Ne t'excuse pas, protesta Cassie. Tu ne m'as pas fait peur. Pas vraiment.

— Tu dois me promettre de m'appeler chaque fois que tu te sentiras en danger ou même simplement inquiète, de jour comme de nuit, poursuivit Devin. Tu sais que je passe la plupart de mes nuits à mon bureau. Je peux être ici en moins de cinq minutes si tu as besoin de moi.

— Je ne me sens jamais inquiète ou en danger ici. De toute façon, j'y suis rarement seule.

Le voyant froncer les sourcils, Cassie se mit à rire.

— Tu ne sens rien ? demanda-t-elle gaiement.

— Quoi donc ? s'étonna Devin en humant l'air autour de lui. Ah oui ! Les roses.

Il se mit à rire lui aussi, et cette insouciance retrouvée leur fit du bien. A cet instant, Joe Dolin aurait tout aussi bien pu se trouver dans un bagne lointain.

— Tu sais, dit-il, je suis de bien meilleure compagnie que les fantômes. Alors promets-moi de m'appeler en cas de besoin.

— Promis.

Cassie n'hésita pas plus d'une seconde. N'avait-elle pas

pris de bonnes résolutions ? Elle devait se prouver qu'elle était capable de surmonter sa timidité. Devin était son ami, il l'avait toujours été. Elle devait cesser de se sentir aussi impressionnée par sa présence.

— Merci…, murmura-t-elle avec un sourire, en lui posant une main sur la joue.

Avant qu'il ait pu comprendre ce qui lui arrivait, Devin vit la tête de Cassie s'approcher de la sienne. Leurs lèvres s'effleurèrent à peine, mais ce contact ténu suffit à soulever en lui un raz-de-marée d'émotions allant de l'étonnement à la frustration. Elle lui avait à peine laissé le temps de goûter à ce baiser, tellement inattendu et pourtant si longtemps espéré.

Sans se rendre compte qu'il emprisonnait à présent les mains de Cassie dans l'étau de ses propres mains, sans voir qu'elle ouvrait des yeux écarquillés par l'appréhension de ce qu'il s'apprêtait à faire, Devin se pressa avidement contre elle. Une seule certitude subsistait en lui : ces lèvres tant désirées s'étaient attardées un instant de trop sur les siennes, et il en voulait plus — beaucoup plus.

Alors, incapable de se dominer, il prit de lui-même ce qu'elle ne lui avait accordé qu'avec parcimonie. Comme un forcené, il s'immergea dans la douceur, dans la chaleur, dans la saveur de cette bouche dont l'accès lui avait trop longtemps été refusé. Le dessin de ses lèvres, leur texture, le rendaient fou. D'une bouche gourmande, il en épousa les volumes, avant d'en suivre du bout de la langue les contours.

Son cœur battait à tout rompre, son pouls cognait à ses tympans et la tête lui tournait. Comme il s'y était attendu, Cassie n'était que douceur et tendre fragilité. Elle était tout ce qu'il chérissait, tout ce dont il était affamé. Il lui fallut une éternité avant de s'apercevoir qu'elle était également tétanisée et aussi inerte qu'une statue contre lui.

Submergé soudain par la conscience coupable de ce qu'il était en train de faire, Devin se dressa d'un bond. Les yeux noirs comme le ciel avant l'orage, Cassie le regardait fixement, une main plaquée contre cette bouche adorée qu'il venait de dévaster. Car il n'y avait pas d'autre mot pour décrire ce qui venait de se produire, il devait bien le reconnaître malgré tout le dégoût qu'il éprouvait envers lui-même.

— Je... je suis désolé..., balbutia-t-il en détournant les yeux. Je ne voulais pas. Tu m'as pris par surprise.

Puis, comprenant qu'il n'avait pas la moindre excuse, il sut qu'il venait de perdre en la trahissant la confiance que lui accordait Cassie.

— Je me sens affreusement mal..., répéta-t-il piteusement. Je ne sais pas ce qui m'a pris. Cela n'arrivera plus.

Amorçant un mouvement de repli vers la porte du salon, il murmura :

— Il faut que j'y aille !

— Devin.

— Je dois y aller ! insista-t-il sans la laisser poursuivre.

Dans une hâte si grande qu'il faillit renverser un guéridon au passage, Devin parvint à gagner le hall d'entrée. Cassie n'avait pas fait un geste, pas dit un mot, pour tenter de le retenir. Cela lui avait permis de s'éclipser sans s'humilier davantage, mais il ne lui en fallait pas plus pour se sentir définitivement rejeté.

Devin passa le reste de la journée et le lendemain à travailler comme une brute. D'une humeur massacrante, il parvint à rendre la vie intenable à ses deux adjoints. Et lorsque cela ne suffit plus à l'apaiser, il se rendit à la ferme pour faire de même avec son plus jeune frère.

Bien sûr, il ne s'agissait dans son esprit que de se défouler en effectuant un travail manuel. Le troupeau était en pleine période de vêlage et Shane ne savait plus où donner de la tête. En pénétrant dans l'étable, Devin le trouva accroupi auprès d'une vache et de son veau nouveau-né. « T'inquiète pas… Ça ne fait pas mal », l'entendit-il murmurer, tandis qu'il pointait un pistolet à vacciner contre le flanc du petit animal. Puis il se redressa en sifflotant et, alors seulement, il remarqua la présence de son frère dans la grange.

— Bon sang ! s'exclama Devin. Tu peux me dire ce qui te rend aussi joyeux ?

— Ce beau petit veau plein de vie, répondit Shane. Et le fait que la mère se porte bien elle aussi.

Sans tenir compte des protestations véhémentes du nouveau-né, il lui examina attentivement les yeux, les oreilles et les parties génitales.

— C'est une fille ! reprit-il. Il t'en faut plus pour être heureux ?

Devin haussa les épaules.

— Oui, il m'en faut plus, si tu veux savoir !

Nullement impressionné par l'humeur chagrine de son frère, Shane se redressa et essuya ses mains sales sur un jean qui l'était plus encore. D'un pas nonchalant, il se dirigea vers la porte ouverte et s'appuya de l'épaule contre le chambranle, les bras croisés.

— Quoi qu'il en soit, reprit-il avec un sourire caustique, ce pauvre veau n'est sans doute pour rien dans ton humeur de chien. Une femme te fait souffrir, Dev ?

Devin se retourna d'un bloc. Le sourire de Shane était à présent des plus provocants, et il le lui eût volontiers ôté de la bouche d'une droite bien placée.

— Ferme-la…, grogna-t-il. Aucune femme ne me fait souffrir.

— Justement…, reprit Shane avec aplomb. C'est bien là le problème. Pourquoi ne t'intéresserais-tu pas à une de celles qui me tournent autour ? Il n'y a que l'embarras du choix.

Pour toute réponse, un juron retentissant fusa des lèvres de Devin.

— Je suis sérieux ! insista Shane. Tu sais à qui je pensais pour toi ? A Frannie Spader. Tu vois qui c'est ? La grande rousse, avec un beau sourire. Et je te prie de croire qu'en plus des cheveux et du sourire, elle a tout ce qu'il faut où il faut pour faire le bonheur d'un homme.

— Fiche-moi la paix ! protesta Devin d'une voix menaçante. Je suis assez grand pour me passer de tes conseils et de tes anciens flirts.

Shane lui assena une vigoureuse tape dans le dos.

— Comme tu voudras…, dit-il. J'essayais juste de te rendre service. Bien sûr, si tu parvenais à être un peu moins fraternel avec la petite Cassie, tu n'aurais pas besoin de…

Aussi rapide qu'inattendu, le poing de Devin cueillit Shane en pleine mâchoire et l'envoya valser à quelques pas, sur le sol de béton. Avant qu'il ait eu le temps de se redresser, Devin lui avait déjà sauté dessus. Le premier instant de surprise passé, Shane se fit un devoir de rendre coup pour coup. Dans ce jeu auquel ils s'adonnaient depuis l'enfance, ils étaient l'un et l'autre parfaitement rodés. Ils connaissaient tout de leurs faiblesses, de leurs feintes, de leurs tactiques respectives.

Agrippés l'un à l'autre, ils roulaient furieusement sur le sol quand la voix de Regan, manifestement exaspérée, vint mettre un terme au bruit mat des poings frappant la chair, aux grognements et aux jurons étouffés.

— Pour l'amour du ciel, arrêtez ça tout de suite !

Ni l'indignation ni le dédain perceptibles dans la voix de leur belle-sœur ne parvinrent à doucher l'enthousiasme des combattants. Troublé par l'intrusion, Shane baissa sa garde juste le temps nécessaire pour que Devin lui fende la lèvre d'un coup de poing. Furieux de s'être laissé distraire, il lui rendit aussitôt la politesse en lui écrasant le nez d'un imparable direct du gauche.

— Rafe ! lança Regan. Empêche-les de se battre.

Bien moins scandalisé que son épouse, qu'il venait de rejoindre, Rafe MacKade semblait compter les points depuis le seuil de l'étable, d'un œil intéressé.

— Mais, chérie…, protesta-t-il. On dirait qu'ils viennent juste de commencer.

Avec un soupir, Regan sembla prendre à témoin de son infortune le bébé qu'elle portait sur sa hanche.

— Je ne plaisante pas, Rafe…, reprit-elle d'une voix posée. Ne serait-ce que par égard pour ton fils, tu dois les séparer tout de suite.

— Ah, les femmes…, grommela Rafe, en rejoignant néanmoins ses frères pour lui donner satisfaction.

Mais s'il s'efforça de ramener la paix dans l'étable, il le fit à sa façon, assenant au passage quelques coups qui n'avaient rien à envier à ceux auxquels il prétendait mettre un terme. Puis, comprenant à la mine sévère de Regan qu'il ne lui fallait tout de même pas exagérer, il s'assit tranquillement sur le dos de Devin et lui plaqua rudement d'une main le visage contre le sol, tandis que de l'autre il maintenait Shane à distance.

— Et maintenant, suggéra Rafe d'une voix posée, si vous me disiez où est le problème ?

Déjà radouci, Shane essuya d'un revers de main le filet de sang qui s'écoulait de sa lèvre et désigna Devin du menton.

— C'est à lui qu'il faut demander ça. J'étais juste en train de lui parler gentiment, et, bing, il m'a donné un coup de poing !

— Je peux comprendre ça, commenta Rafe. C'est ce que j'ai moi-même envie de faire la plupart du temps quand tu me parles. Ce qui m'intéresse, c'est de savoir de quoi vous parliez.

Comprenant au visage grimaçant de Devin, écrasé sur le béton, qu'il y était allé un peu fort, Rafe enleva sa main et le laissa redresser la tête.

— Ça ne te regarde pas, grogna-t-il. C'est une affaire entre lui et moi.

Avec la liberté relative de se mouvoir, Devin sembla retrouver du poil de la bête et parut décidé à se débarrasser de Rafe, toujours assis à califourchon sur son dos.

— Devin ! cria aussitôt Regan. Arrête de te conduire comme un idiot ! Tu devrais avoir honte de ton comportement.

Un sourire radieux au coin des lèvres, Rafe se pencha vers son frère pour enfoncer le clou, agitant près de son visage un index moralisateur.

— C'est vrai, ce que dit Regan. Tu devrais avoir honte de toi, shérif MacKade.

— Et toi, grommela Devin, tu ferais bien d'ôter tes fesses de là avant que je me fâche !

— Tu promets d'être un brave garçon et de ne plus recommencer ?

Sans attendre de réponse, Rafe s'empressa de déposer en riant sur la joue de son frère un baiser retentissant. Puis, avec une souplesse de fauve, avant que Devin ait pu tenter quoi que ce soit pour le rattraper, il rejoignit sa femme et son fils près de la porte de l'étable.

— Voilà qui est déjà mieux…, commenta Regan.

Si elle n'avait pas été là, nul doute que Devin se serait aussitôt jeté sur Rafe pour lui apprendre à se mêler de ce qui le regardait. Mais la simple présence de cette femme imposante de dignité et d'autorité naturelle incitait à la retenue. Devin aimait beaucoup Regan, l'avait toujours beaucoup aimée, avant même que Rafe ne jette son dévolu sur elle. Mais parfois, il lui arrivait de penser qu'il la respectait et l'admirait en fait bien plus qu'il ne l'aimait.

— Le joli spectacle que voilà ! s'exclama Regan en jetant des regards chargés de réprobation sur Shane et Devin. Vous n'avez donc rien de mieux à faire qu'à vous battre comme deux chiffonniers ?

— C'est lui qui a commencé !

Prudemment, Shane se retint de rire et fit de son mieux pour paraître humble et repentant.

— C'est vrai, Regan…, insista-t-il. Je n'ai fait que me défendre. Juré.

— Peu m'importe qui a commencé, répondit-elle royalement. Je voudrais simplement savoir si nous sommes toujours invités à dîner.

Avec une grimace douloureuse, Shane se frappa le front du plat de la main et consulta sa montre d'un air affolé.

— Je vous avais complètement oubliés, avoua-t-il. J'ai été sur la brèche toute la journée, et je viens juste d'en finir avec une naissance difficile.

— Oh !

Instantanément, Regan oublia toute autre considération. Repoussant ses cheveux derrière son oreille, elle se précipita vers la stalle où le veau nouveau-né commençait à téter sa mère.

— Comment va-t-il ? s'inquiéta-t-elle.

— Très bien, assura Shane.

Puis voyant son neveu tendre vers lui en souriant ses petits bras implorants, il s'exclama :

— Hey, Nate !

Mais avant qu'il ait pu mettre à exécution son projet de prendre le bébé dans ses bras, Regan se détourna habilement pour l'en dissuader.

— Désolée, dit-elle, mais aucun de vous deux ne touchera mon fils avant d'être passé sous la douche. Vos vêtements sont en loques, vous êtes couverts de sang, et vous êtes loin de sentir la rose.

Devin, qui s'était tenu piteusement à l'écart, en profita pour les rejoindre.

— J'avoue, dit-il en lançant à Shane un regard neutre, que j'y suis allé un peu fort. Disons que j'étais d'humeur à me battre, et que tu y paraissais disposé toi aussi.

— J'avoue, répondit Shane en soutenant son regard sans ciller, que je devrais parfois réfléchir un peu plus avant de parler. N'empêche que tu m'as fendu la lèvre.

— N'empêche, repartit Devin, que tu m'as presque cassé le nez.

— Alors ?

— Alors disons que nous sommes quittes et n'en parlons plus.

Tout sourire, Rafe entoura de ses bras les épaules de ses frères et les secoua vigoureusement.

— Braves garçons ! s'exclama-t-il. Faites la paix et embrassez-vous.

Voyant Devin et Shane serrer les poings et se tourner vers Rafe pour reporter sur lui leur humeur belliqueuse, Regan grinça des dents.

— Stop ! s'écria-t-elle en s'interposant. Si personne ne boxe plus personne, je m'engage à préparer le dîner.

Shane y réfléchit un instant, puis se détendit en souriant.

— Marché conclu.

— Dans ce cas, reprit Regan, je ne veux voir personne dans la cuisine avant que tout soit prêt.

Dressant l'oreille, elle laissa sa phrase en suspens et demanda :

— Vous entendez ce bruit ?

— Quel bruit ? s'étonna Devin.

Le gémissement qui s'élevait était doux et plaintif, à peine audible au-dessus du babillage de Nate. Devin dut parcourir la moitié de l'étable avant d'en découvrir l'origine, dans une stalle laissée vacante.

— On dirait que c'est le jour des naissances, dit-il avec un sourire attendri. Figurez-vous qu'Ethel a décidé de faire ses petits elle aussi.

— Ethel !

Aussi fébrile qu'un papa anxieux à l'annonce de la grande nouvelle, Shane se précipita au chevet de sa chienne. Celle-ci, que les quatre frères avaient vue naître, avait fini par comprendre que la chasse au lapin n'était pas le seul sport auquel il lui était possible de s'adonner en compagnie de Fred, son compagnon de toujours.

— Ethel…, murmura-t-il sur un ton de reproche, en lui caressant doucement le museau. Pourquoi tu ne m'as pas prévenu ? Seigneur ! Il y en a déjà deux.

Comprenant dans quelle angoisse le plongeait cette naissance, Devin et Rafe échangèrent un regard complice. Pour être nés et avoir grandi dans une ferme, les frères MacKade étaient accoutumés à de tels événements. Mais cette fois, les choses étaient différentes car il s'agissait d'Ethel, le seul grand amour de Shane.

Toute chamaillerie oubliée, Devin alla s'accroupir près d'elle et passa affectueusement un bras autour de ses épaules.

— Tout va bien se passer, lui assura-t-il.

— Tu crois ?

— J'en suis sûr, conclut-il. C'est une MacKade, n'est-ce pas ? Et les femmes de notre famille ont déjà prouvé qu'on pouvait compter sur elles.

Captant au seuil de la stalle le regard embué de Regan, Devin lui adressa un clin d'œil.

Après avoir fêté dignement la naissance des six chiots de Fred et Ethel, Devin préféra reprendre la route pour regagner son bureau. Il se sentait trop agité pour dormir à la ferme cette nuit-là. La longue douche froide qu'il avait prise avait réussi à le laver et à calmer la plupart des douleurs occasionnées par son combat avec Shane mais n'avait pas suffi à le tirer de son humeur morose.

Alors qu'il passait en contrebas de la Résidence MacKade, il ralentit sans même y réfléchir et leva les yeux vers les fenêtres brillamment éclairées. Etait-ce le fruit de son imagination ou la silhouette de Cassie se dessinait-elle réellement à l'une de celles du deuxième étage ?

Furieux de comprendre quel stupide espoir était subitement né en lui, Devin relança le moteur et dépassa l'embranchement qui menait à la Résidence sans même tourner la tête. Cassie ne lui pardonnerait sans doute pas son incartade aussi facilement. Et quand bien même elle le ferait, il n'était pas disposé à se pardonner lui-même.

Plus il y réfléchissait, plus sa conduite de la veille lui paraissait inqualifiable. Il avait agi comme une brute, comme un maniaque dominé par ses sens. Il s'était montré violent et dominateur alors que Cassie ne méritait, après l'enfer qu'elle avait connu, que patience, tact et douceur. Dans ces conditions, il ne lui fallait pas s'étonner qu'elle l'ait regardé comme s'il avait perdu l'esprit, les yeux agrandis d'effroi.

A présent, il ne lui restait qu'à se faire oublier. Peut-être, avec le temps, Cassie finirait-elle par ne plus penser à ce moment d'égarement. Après tout, il pouvait bien attendre. N'était-ce pas ce qu'il faisait depuis tant d'années déjà ?

Incapable de déterminer si elle avait rêvé ou non, Cassie demeurait figée devant la fenêtre obscurcie par la nuit. Etait-ce bien la voiture de patrouille de Devin qu'elle avait vue passer sur la route, en contrebas ? Mais depuis la veille, elle pensait tellement à lui que rien n'était moins sûr. Elle pouvait tout aussi bien avoir rêvé, tout comme elle avait rêvé de lui l'autre nuit.

Pourtant, le fougueux baiser dans lequel il l'avait entraînée, avant de s'enfuir précipitamment, n'avait rien eu d'un rêve. Il lui suffisait de se rappeler ce qui s'était passé dans le salon de la maison Barlow pour sentir son pouls s'accélérer et des frissons lui parcourir l'échine. Elle avait été tellement saisie de le voir se presser contre elle, de sentir ses larges mains emprisonner les siennes, de goûter à l'affolante caresse de sa bouche, qu'elle avait été incapable de la moindre réaction.

Combien de temps avait duré ce baiser ? Trente secondes ? Une minute ? Elle aurait été bien incapable de le dire. Mais ce dont elle était certaine, c'est que jamais personne ne l'avait embrassée ainsi, avec une telle urgence, une telle passion, comme si la vie même de Devin en avait dépendu.

Elle ne pouvait ignorer non plus le bouleversement que ce baiser avait provoqué en elle, le déluge d'émotions et de sensations qu'il avait déclenché. Pour s'en défendre, elle s'efforçait de minimiser la portée de ce qui s'était passé. Devin l'avait embrassée — et alors ? Des tas de gens s'embrassaient sans que cela prête forcément à conséquence. Il fallait garder la tête froide et ne pas accorder à cet épisode plus d'importance qu'il n'en avait en réalité.

De toute façon, ne s'était-il pas aussitôt excusé ? Ce qui signifiait que son geste avait dépassé sa pensée. Devin n'avait pas réellement eu l'intention de l'embrasser. Cela n'avait été qu'une sorte de réaction instinctive à sa tentative maladroite de lui prouver sa reconnaissance. Une réaction d'homme. Puis il s'était ressaisi et s'était excusé, en ami bon et généreux qu'il était.

Et à présent, songeait-elle en observant la lune qui commençait son ascension au-dessus de l'horizon, qu'allait-il se passer puisqu'elle l'avait blessé en réagissant comme s'il avait cherché à la violer ? La prochaine fois

71

qu'ils se rencontreraient, il lui faudrait faire comme si rien ne s'était passé. Elle lui sourirait, elle lui parlerait, le plus naturellement du monde, sans le moindre trouble ni la moindre arrière-pensée. Plutôt que de risquer de perdre l'amitié de cet homme qui lui avait déjà tant donné, elle préférait encore faire semblant de croire que ce baiser n'avait été entre eux qu'une parenthèse sans conséquence.

Chapitre 4

Pour le shérif MacKade, la parade du Memorial Day n'avait rien d'une partie de plaisir. Il se félicitait pourtant que ce jour attendu entre tous par les habitants d'Antietam fût enfin arrivé. Tant qu'il réglerait les multiples problèmes de sécurité qui ne manqueraient pas de surgir, il serait bien trop occupé pour songer à ses propres soucis.

Le maire avait fixé le début des réjouissances à midi. En tant que shérif de la ville, Devin était requis en grand uniforme pour participer à la cérémonie du souvenir devant le monument aux morts.

La perspective d'avoir à endurer tout le jour le costume kaki, la cravate trop serrée et les grosses chaussures cirées n'avait rien pour lui plaire. Mais étant donné les circonstances, il pouvait bien y consentir. Rares étaient les occasions où cet effort lui était demandé.

Le plus pénible, finalement, était d'avoir à ressortir du placard le fer et la planche à repasser. S'il accomplissait de bonne grâce la plupart des tâches domestiques, il vouait au repassage une haine tenace. Ce qui ne l'empêcha nullement, dès 8 heures du matin, d'arpenter fièrement le pavé de la ville, rasé de frais, les vêtements aussi nets que s'ils sortaient du pressing, et le cuir noir de ses chaussures luisant comme un miroir.

Des badauds qui s'installaient, chargés de glacières et de

pliants, le saluèrent respectueusement. Amusé, il songea que le fait de ne porter l'uniforme qu'occasionnellement était le meilleur moyen de lui conserver tout son prestige.

La plupart des boutiques situées le long du parcours de la parade resteraient fermées pour la journée, mais Devin savait pouvoir compter sur Edwina Crump pour son petit déjeuner. En sortant de son bureau, c'est donc en direction du café Ed's qu'il descendit la rue principale. Il prit le temps de flâner et de répondre aux saluts de chacun.

L'été semblait avoir décidé d'attendre ce jour pour être de la fête lui aussi. Malgré l'heure matinale, la chaleur était étouffante et le col de sa chemise lui serrait déjà le cou. Nul doute qu'en début d'après-midi, à l'heure où s'ébranlerait la parade, le goudron surchauffé collerait aux semelles des musiciens et des majorettes, sans parler du feu liquide qui leur tomberait sur la tête du haut du ciel.

En poussant la porte de chez Ed, Devin comprit qu'en ce jour particulier Edwina Crump s'apprêtait à faire l'une de ses meilleures recettes de l'année. La salle était presque pleine et les deux serveuses s'affairaient entre les tables. L'alléchante odeur de café frais et de lard frit qui l'accueillit lui rappela qu'il n'avait pas mangé à sa faim depuis bien longtemps. Après avoir échangé les salutations d'usage, ce fut donc avec un appétit d'ogre qu'il alla prendre place sur l'un des hauts tabourets qui bordaient le comptoir.

Affairée à presser une montagne d'oranges, la patronne l'accueillit d'un clin d'œil.

— Shérif.

— Ed.

Comme à l'accoutumée, ses lunettes aux montures pailletées de strass pendaient sur sa maigre poitrine, au bout d'une chaînette en or garnie de perles. Sous le tablier de plastique transparent qu'elle arborait, Ed était déjà prête pour le défilé.

Du même rouge cuivré que ses cheveux, son court T-shirt ajusté laissait visible son nombril et la naissance de son dos. Quant à son short, il était à la limite de la décence la plus élémentaire. Un fard à paupières mauve, un rouge à lèvres assorti, une épaisse couche de fond de teint et une paire de boucles d'oreilles démesurées complétaient la tenue.

Devin lui rendit affectueusement son sourire. En dépit — ou à cause — de son excentricité revendiquée, Edwina Crump était l'une des figures les plus aimées et les plus respectées d'Antietam. Il n'y avait qu'elle en tout cas pour assumer en public une telle tenue sans avoir à en rougir.

— Omelette au jambon…, commanda-t-il, en habitué de la maison. Et deux ou trois litres de café.

— C'est comme si c'était fait, lança Ed en s'essuyant les mains.

Puis, redonnant d'une main du volume à sa chevelure, elle le toisa d'un œil approbateur.

— Il n'y a pas à dire, murmura-t-elle, un uniforme fait toujours son petit effet sur un bel homme.

Assez âgée pour être sa mère, Ed n'hésitait pas à flirter avec lui, à l'occasion. Devin ne s'en offusquait pas. Ils étaient l'un et l'autre suffisamment complices pour n'être pas dupes de ce petit jeu.

— Tu trouves ? grommela-t-il. Moi, je me fais l'effet d'un boy-scout vieillissant.

Les yeux embués, Ed poussa un gros soupir.

— Mon premier petit ami était boy-scout, dit-elle.

Avec un nouveau clin d'œil, elle lui servit son café et reprit sur le ton de la confidence :

— Laisse-moi te dire que j'aurais pu plus mal tomber pour découvrir l'amour.

Ed eut un petit rire satisfait, et retourna dans sa cuisine, laissant Devin à son café et à ses pensées.

Il lui était difficile de laisser ses yeux s'égarer dans cette salle sans penser aussitôt à celle qui y avait officié pendant tant d'années. Mais plutôt que de laisser une fois encore son esprit se fixer sur Cassie Connor, Devin préféra s'absorber dans la consultation du bloc-notes qu'il avait apporté pour vérifier les derniers détails de la parade.

Une demi-heure plus tard, il était en plein travail et avait dévoré l'excellente omelette que lui avait servie Ed, quand il sentit une main pesante se poser sur son épaule.

— Haut les mains, shérif ! Vous êtes en état d'arrestation. Tout ce que vous direz pourra être retenu contre vous.

Avant même de s'être retourné, Devin avait reconnu la voix chaude et bien timbrée de Savannah MacKade, la femme de Jared.

Il suffisait à sa belle-sœur de mettre les pieds quelque part pour voir aussitôt les regards masculins converger dans sa direction. Dotée par la nature d'un corps de sirène, Savannah avait tout ce qu'il fallait pour capter l'attention des hommes. Quant à son visage, il était d'une beauté sauvage difficile à ignorer.

Se prêtant au jeu, Devin éleva les mains, paumes ouvertes, devant lui.

— Je me rends ! lança-t-il. Mais d'abord, laissez-moi saluer ma famille.

Avec un sourire complice, il salua le fils de Savannah

qui se tenait derrière elle. Grand pour son âge, Bryan avait fière allure dans sa tenue de base-ball toute neuve.

— Hello, Bry ! Tu participes à la parade, à ce que je vois ?

— Bien sûr ! s'enthousiasma le garçon en se hissant sur le tabouret voisin de celui de Devin. L'entraîneur nous a demandé de défiler à l'arrière de son pick-up, Vince, moi et quelques gars de l'équipe.

Devin eut une moue impressionnée.

— Vous allez faire sensation…, assura-t-il. Mais pourquoi être là aussi tôt ? Le défilé ne se formera qu'aux alentours de midi.

— Nous avions quelques courses à faire avant d'aller chercher Vincent, intervint Savannah. Mais l'urgence était de faire manger Bryan. A l'entendre, il est sur le point de défaillir.

— Je meurs de faim ! confirma l'intéressé.

— Hey, Ed ! s'écria Devin en direction du guichet de la cuisine. Un jeune homme affamé réclame tes services.

Deux secondes plus tard, les portes battantes de l'office s'ouvrirent à la volée.

— Mais c'est mon champion !

Supportrice depuis toujours des Cannons d'Antietam, Ed se glissa vivement derrière le comptoir.

— Bry, dit-elle avec un sourire empreint de joie et de fierté, je suis fière de vous. Vous nous avez offert un match d'enfer samedi dernier.

Après avoir salué Savannah, Ed se pencha au-dessus du comptoir pour faire quelques risettes au bébé confortablement installé dans ses bras. Puis, tout en lui préparant un solide petit déjeuner, elle s'absorba avec Bryan dans une conversation sérieuse et passionnée concernant quelque subtilité controversée des règles du base-ball.

Avant que Savannah ait pu se rendre compte de quoi que ce soit, Devin s'était glissé au bas de son siège pour lui prendre des bras la petite Layla. Sous son chapeau de soleil en toile, les cheveux du bébé bouclaient abondamment. Ses grands yeux le dévisageaient avec le plus grand sérieux.

— Hello, ma beauté.

Devin se pencha pour déposer délicatement un baiser sur sa joue et vit avec émotion ses lèvres s'incurver.

— Elle me sourit ! s'exclama-t-il, bouleversé.

Savannah haussa les épaules.

— Pur réflexe.

Sincèrement choqué, Devin redressa la tête pour la fusiller du regard.

— Pas du tout ! protesta-t-il avec véhémence. Elle m'a souri parce qu'elle m'a reconnu et parce qu'elle m'aime. N'est-ce pas, ma chérie, que tu as souri à tonton Dev ?

Du bout du doigt, il lui chatouilla la paume de la main.

Conquise par la tendresse qu'il témoignait à sa fille, Savannah se radoucit et prit place sur un tabouret à côté de lui.

— Tu peux me la rendre, si tu veux, dit-elle.

D'un geste possessif, Devin serra le bébé assis sur son bras contre sa poitrine, la tête confortablement nichée sur son épaule.

— Je ne veux pas, décréta-t-il. Où est Jared ?

— Occupé à quelque urgente tâche d'avocat. Il doit nous retrouver à la Résidence, aux alentours de 9 h 30.

— Tu m'as bien dit que vous alliez chercher Vince, juste après ? demanda Devin.

— Exact, dit Savannah. Rafe et Regan iront chercher Cassie et Emma plus tard dans la matinée. Jared se charge d'amener Shane après l'avoir aidé à achever à la ferme les corvées du matin, et nous nous retrouverons tous au parc pour le pique-nique, après le défilé.

Penchée sur le comptoir, elle vérifia que son fils ne mangeait pas trop goulûment l'assiette bien garnie qu'Ed venait de lui servir, avant de s'étonner :

— Mais dis-moi. On ne t'a pas vu au stade, samedi.

Sous le regard inquisiteur de sa belle-sœur, Devin s'efforça de ne pas ciller.

— J'avais une montagne de paperasses en retard.

En fait, il était allé assister au match de la Ligue Junior mais il avait fait demi-tour en découvrant Cassie dans les tribunes. Pour rien au monde il n'aurait voulu l'embarrasser.

— Tu n'es pas venu non plus déjeuner à la ferme, dimanche midi.

— Je t'ai manqué ?

— C'est peu de le dire.

Voyant passer une ombre sur le visage de Devin, Savannah coupa court à toute plaisanterie.

— Que se passe-t-il, Devin ? Tu as des problèmes ?

— Non.

— Jared m'a expliqué, pour Joe Dolin. Est-ce cela qui t'inquiète ?

— Il n'y a pas à s'en faire, bougonna-t-il. Je l'ai à l'œil.

Pour couper court à la conversation, il pencha la tête et embrassa le cou de sa nièce qui se mit à frétiller en gloussant de joie.

De son passé agité, Savannah n'avait pu se débarrasser d'une méfiance tenace à l'égard des forces de police.

Pourtant, après une période d'observation réciproque, elle avait appris à aimer Devin et à discerner derrière le badge sa profonde humanité, ainsi que cette plaie secrète, jamais refermée, qui le rendait tellement touchant.

Cédant à une brusque impulsion, Savannah posa sa main sur l'épaule de Devin.

— On pactise avec l'ennemi, ma chère belle-sœur ? demanda-t-il, surpris.

Avec un soupir de découragement, Savannah laissa retomber sa main. Pourtant, ce fut avec un sourire radieux qu'elle répondit.

— Quand on épouse un MacKade, il faut en assumer les conséquences. A présent, shérif, rendez-moi ma fille.

Après une dernière caresse sur la joue du bébé, Devin le tendit à regret à sa mère et en profita pour déposer comme un voleur un baiser furtif sur la joue de celle-ci. Coupant court à toute protestation, il se précipita vers la porte, en adressant à Savannah un petit salut ironique.

La parade ne s'était pas encore ébranlée que déjà les rues de la ville étaient pleines à craquer. Une foule bariolée encombrait les trottoirs, s'agglutinait sur les porches, piétinait les pelouses. Des enfants couraient en tout sens, et les pleurs de bébés affolés achevaient de rendre l'atmosphère électrique.

Plusieurs points d'accès à la ville ayant été barrés pour permettre le passage du défilé, Devin s'était posté au principal d'entre eux. Accroché à sa ceinture, son talkie-walkie ne cessait de bourdonner des appels de ses adjoints placés comme lui en faction devant les barrages.

Dans le lointain retentirent enfin les premiers échos

d'une fanfare en marche. Un frisson d'excitation parcourut la foule. Un murmure approbateur s'éleva. Tous les regards convergèrent dans cette direction. Devin, délaissant quelques instants sa tâche, se laissa lui aussi captiver par le murmure grandissant des cuivres et des tambours et par le piétinement des bottes martelant en cadence la chaussée.

— Shérif ! Shérif !

Avec un soupir résigné, Devin se retourna vers l'automobiliste impatient qui le rappelait à ses devoirs. En découvrant le visage furieux de l'homme qui l'interpellait, il comprit que celui-ci allait lui donner du fil à retordre.

Cinq minutes plus tard, après avoir à grand-peine convaincu le conducteur récalcitrant de faire un détour, Devin se retourna et se retrouva nez à nez avec Cassie. Emporté par son élan, il faillit la heurter de plein fouet. D'instinct, sa main se referma sur l'avant-bras de la jeune femme, avant de le lâcher précipitamment, comme si sa peau avait été chargée d'électricité.

— Désolé…, marmonna-t-il en baissant les yeux. Je ne savais pas que tu étais là.

Un sourire amusé se dessina sur les lèvres de Cassie. Côte à côte, ils s'accoudèrent à la barrière métallique pour regarder passer le défilé.

— Je ne voulais pas t'interrompre dans ton travail, dit-elle.

Devin haussa les épaules.

— Il y a encore des imbéciles pour s'imaginer que la route leur appartient.

Cassie reporta son attention vers le cortège. Mais en dépit des prouesses acrobatiques des majorettes imperturbablement souriantes dans leurs costumes chamarrés, c'était l'image de Devin, sanglé dans son uniforme, compétent et maître de lui, qui ne cessait de lui hanter l'esprit.

— Il fait une chaleur infernale, reprit-elle sur un ton faussement décontracté. Tu dois mourir de soif. Veux-tu que j'aille te chercher quelque chose à boire ?

— Non, répondit Devin. Je te remercie.

Pourtant, il aurait bien eu besoin d'un bon verre. Il avait la gorge sèche, mais le soleil de plomb qui s'appesantissait sur la ville n'en était pas seul responsable. Cela faisait des années qu'il n'avait pas vu les jambes de Cassie. Cela faisait des années qu'il s'efforçait d'oublier ce à quoi elles pouvaient ressembler. Et en ce premier jour de véritable chaleur, voilà qu'elles se présentaient à l'improviste sous ses yeux, longues et douces sous le short à revers couleur prune qu'elle portait.

— Où est Emma ? demanda-t-il pour faire diversion.

— Chez les MacClutcheon, répondit Cassie. Elle est amie avec leur fille et elles jouent toutes les deux dans leur jardin.

Même si l'envie pressante de se tourner vers lui la tenaillait, Cassie s'appliquait à ne pas quitter la parade des yeux. Il lui était plus facile de lui parler si elle n'avait pas à soutenir son regard. Tout en admirant les détails du char décoré qui passait à cet instant devant eux, elle rassembla son courage et se lança :

— Es-tu en colère contre moi, Devin ?

Devin sursauta mais se garda bien lui aussi de tourner les yeux vers elle.

— Bien sûr que non ! protesta-t-il. Pourquoi le serais-je ?

Sans s'en rendre compte, il regardait Miss Antietam, perchée sur le char, avec une telle intensité que celle-ci lui rendit un regard éloquent assorti d'un sourire chargé d'espoir. Pourtant, malgré les charmes indéniables de celle-ci, c'était la beauté de la femme accoudée près de lui qui lui occupait l'esprit.

— On dirait que tu ne laisses pas Julie indifférente…, commenta Cassie, à qui cet échange de regards n'avait pas échappé.

— Julie ? s'étonna-t-il. Qui est-ce ?

Le rire spontané de Cassie les surprit tous deux, contribuant à détendre l'atmosphère. Enfin, elle s'autorisa à lui faire face et à chercher son regard.

— Tu es sûr que tu ne m'en veux pas ? insista-t-elle.

— Non ! Oui… Je veux dire… Oui, je suis sûr que je ne t'en veux pas.

Mal à l'aise, Devin plongea les mains au fond de ses poches.

— C'est à moi que j'en veux, reprit-il. Comme je te l'ai dit, je ne sais pas ce qui m'a pris et je te garantis que cela ne se produira plus.

— Cela n'a pas d'importance.

Gêné par la musique assourdissante d'une nouvelle fanfare qui arrivait à leur niveau, Devin eut l'impression d'avoir mal entendu.

— Tu disais ?

— Je disais, répéta Cassie un peu plus fort, que cela n'a…

Interrompue par le déclenchement du talkie-walkie de Devin, elle laissa sa phrase mourir sur ses lèvres.

— Shérif ! Shérif ! appela une voix nasillarde dans l'appareil. Ici Donnie. Nous avons une affaire sur les bras en zone C. Vous êtes là, shérif ?

— Une affaire en zone C..., marmonna Devin. Quand cet idiot cessera-t-il de se croire à la télé?

Précipitamment, Cassie lâcha la barrière et commença à s'éloigner.

— Je vais te laisser, dit-elle. Tu es occupé.

Devin aurait voulu la retenir mais sa frêle silhouette s'était déjà fondue dans la foule. Maudissant son adjoint et décidé à lui faire payer sa mauvaise humeur, il aboya dans le micro:

— MacKade à l'appareil!

L'« affaire » promise par Donnie se révéla être une simple bagarre entre étudiants. En moins de temps qu'il n'en faut pour le dire, Devin calma les esprits, passa à son adjoint le savon qu'il méritait, et réconforta une mère hystérique d'avoir vu son rejeton prendre quelques coups dans la mêlée.

Lorsque la dernière botte eut défilé, que le dernier drapeau eut claqué dans le vent, que le dernier ballon se fut envolé vers le ciel, il lui fallut encore superviser la grande migration de la foule vers le parc où se déroulait le pique-nique, accueillir les équipes de nettoyage, et aider deux ou trois bambins perdus et en larmes à retrouver leur mère. Enfin, après avoir ôté avec délice son uniforme et l'avoir remisé pour de futures et lointaines réjouissances officielles, il put prendre une longue douche froide à son bureau.

Le pique-nique était déjà bien engagé lorsqu'il gara sa voiture de patrouille au bout d'une longue file de véhicules le long du parc. Dans les allées ombragées, les barbecues improvisés, les jeux champêtres et les discussions animées battaient leur plein.

En chemin, Devin vit son frère Shane flirter ouvertement avec Frannie Spader, la rousse au beau sourire et aux formes avenantes qu'il lui avait si généreusement offerte quelques jours auparavant. Un peu plus loin, Rafe s'apprêtait à battre une balle que Jared, muni du gant qui le suivait depuis le collège, allait essayer de rattraper. Allongées à l'ombre avec leurs bébés plongés en pleine sieste, Regan et Savannah les regardaient.

Au hasard des rencontres, Devin se laissa dériver d'un groupe à l'autre. Finalement, il s'absorbait dans le spectacle d'un concours de lancé de fers à cheval lorsque Rafe, à vingt mètres de là, l'invita bruyamment à rejoindre le clan MacKade, toujours plongé dans les délices d'une partie de base-ball. Après un court instant d'hésitation, Devin se laissa tenter.

Au terme d'une journée bien remplie, avec le sentiment du devoir accompli, rien n'était plus réjouissant que la perspective de se défouler en expédiant dans les airs quelques balles blanches à grands coups de batte de bois.

Au bord du terrain de base-ball improvisé, Savannah regardait son époux, le brillant avocat Jared MacKade, aux prises avec le maire de la ville, Cy Martin, qui, un peu imprudemment, avait accepté d'arbitrer le match et venait de siffler une pénalité. Les deux hommes, le visage déformé par la colère, s'affrontaient nez à nez, les poings serrés. Les trois autres frères, pendant ce temps, s'interpellaient violemment en prenant à partie ceux qui se trouvaient dans les parages.

— J'adore les pique-niques…, commenta Savannah avec un soupir.

— Moi aussi, renchérit Regan en étirant les bras devant elle. Ils sont… tellement reposants.

S'avisant que Cassie venait de les rejoindre et serrait nerveusement les bras contre sa poitrine, elle leva les yeux vers elle.

— Ne t'inquiète pas, dit-elle. Ils crient fort mais ils ne vont pas se faire de mal. Du moins, pas trop.

Vaillamment, Cassie s'efforça de se détendre. Les frères MacKade étaient sans arrêt en train de se disputer. Depuis le temps qu'elle les connaissait, elle aurait pourtant dû y être habituée. Mais en voyant Vincent et Bryan accourir pour ne rien rater du spectacle, elle se raidit de nouveau.

— Ne t'inquiète pas…, répéta Regan. Tout ira bien.

Et en effet, comme si l'arrivée des deux garçons avait suffi à ramener la paix dans le clan MacKade, tous quatre se calmèrent. Aussitôt enrôlés, pour leur plus grande fierté, Bryan et Vincent allèrent prendre place sur le terrain.

Pour Cassie, c'était véritablement une joie et un soulagement de voir son fils sortir enfin de sa coquille et avoir les jeux et les joies de son âge. Sous l'influence bénéfique de Bryan, relayé par les frères MacKade, il se métamorphosait de jour en jour. Amusée, elle vit le fils de Savannah amorcer un pas de danse pour saluer une action victorieuse de son ami. Puis, lorsque Devin se pencha vers Vince pour lui lancer en aparté quelque commentaire de son cru, elle vit son fils éclater d'un rire franc qu'il ne se serait jamais autorisé seulement quelques mois auparavant.

— Devin est vraiment extraordinaire avec les enfants, murmura-t-elle sans le quitter des yeux.

Regan et Savannah échangèrent un regard entendu.

— Chaque fois qu'il vient à la maison, renchérit Regan, il ne s'occupe que de Nate.

Avec un sourire attendri, Regan regarda son fils, allongé sur la couverture.

— On dirait qu'il saigne, reprit-elle.

Alarmée, Cassie regarda Nate.

— Où cela ? s'inquiéta-t-elle.

Regan secoua la tête en riant.

— Je parlais de Devin, pas de Nate.

— Il a dû se fendre la lèvre en fonçant sur Shane tout à l'heure, intervint Savannah. Comme d'habitude, il n'y est pas allé de main morte.

— Quelqu'un aurait un mouchoir ? reprit innocemment Regan.

— Moi j'en ai un, répondit Cassie en le sortant déjà de sa poche.

Alors qu'elle s'élançait en direction de Devin qui s'apprêtait à quitter le terrain, Savannah et Regan échangèrent un nouveau regard entendu.

— A ton avis ? demanda celle-ci. Elle se doute de quelque chose ?

— Certainement pas, répondit Savannah. Pour qu'elle comprenne enfin qu'il est fou d'elle, il faudrait que Dev s'autorise à être un peu plus entreprenant.

— Dans ce domaine, il est bien le seul MacKade à prendre son temps.

Savannah sourit de la remarque, avant de fermer les yeux et de s'adosser contre un arbre, dans l'intention d'imiter sa fille endormie auprès d'elle.

— Ne t'en fais pas pour lui, conclut-elle. Quand

l'occasion sera là, je parie qu'il ne la laissera pas passer. Cassie n'a pas l'ombre d'une chance de lui échapper.

Renonçant à rattraper Devin, qui gagnait à longues foulées la sortie du parc, Cassie se résolut à l'appeler.

— Devin ! lança-t-elle, à bout de souffle. Attends un peu.

Etonné, Devin se retourna.

— Qu'est-ce qu'il y a ? demanda-t-il lorsqu'elle l'eut rejoint.

— Ta bouche…, répondit Cassie en luttant pour reprendre son souffle.

— Ma bouche ? répéta-t-il sans comprendre.

— Elle saigne.

Avec les gestes précis d'une mère accomplie, Cassie se haussa sur la pointe des pieds pour tamponner délicatement le filet de sang sur le menton de Devin.

— Je t'ai vu foncer tête la première dans Shane, expliqua-t-elle. Tu as de la chance de t'en être tiré à si bon compte. Pourquoi prends-tu de tels risques ? Ce n'est qu'un jeu après tout.

Vaillamment, Devin s'appliquait à ne pas broncher tandis que les doigts longs et fins de Cassie s'activaient si près de ses lèvres.

— Ce n'est pas qu'un jeu, répliqua-t-il. C'est du base-ball.

Cassie n'en finissait plus de lui prodiguer ses soins attentifs et Devin, les poings serrés au fond de ses poches, se faisait l'effet d'une grenade dégoupillée.

— Cassie…, protesta-t-il, les dents serrées. Je vais bien maintenant.

Plus que les mots, ce fut l'exaspération que trahissait

le ton de sa voix qui alerta Cassie. Après avoir laissé retomber son bras, elle le dévisagea attentivement.

— Tu es encore fâché contre moi, constata-t-elle.

Un soupir excédé fusa des lèvres de Devin.

— Je te répète, s'emporta-t-il, que je ne suis pas fâché contre toi. Mais, bon sang, Cassie…

Trop frustré pour garder plus longtemps ses mains prisonnières de ses poches, Devin s'empara du mouchoir qu'elle gardait à bout de bras et le lui agita sous le nez.

— A ton avis, demanda-t-il. Qu'y a-t-il sur ce bout de tissu ?

— Du sang, répondit-elle en toute innocence.

— Du sang ! répéta-t-il en lui coupant la parole. Figure-toi que c'est ce que j'ai dans les veines — du sang, pas du thé glacé. Et si tu t'obstines à me cajoler ainsi, je te garantis que je ne…

Renonçant à achever sa phrase, Devin fit un tour sur lui-même en expirant longuement.

— Je ne suis pas fâché…, conclut-il enfin d'une voix apaisée. J'ai juste besoin de faire un tour.

Sans l'attendre, il se dirigea d'un bon pas vers le bosquet qui bordait le parc. Le cœur serré, Cassie se mordilla nerveusement la lèvre avant de se décider. Il lui en coûtait de s'imposer ainsi, mais la crainte de perdre son amitié lui donna le courage dont elle avait besoin pour lui emboîter le pas.

Quand elle l'eut rejoint, Devin fit volte-face. Transpercée jusqu'au cœur par son regard de braise, Cassie se sentit chanceler et baissa les yeux.

— Je suis désolée…, murmura-t-elle piteusement. Je suis désolée, Devin.

Devin émit un claquement de langue agacé.

— Je t'en prie, ne t'excuse pas. Si quelqu'un a quelque chose à se faire pardonner ici, c'est bien moi.

Elle lançait autour d'eux des regards inquiets. Pourquoi n'y avait-il donc personne dans ce bois ? Alors qu'il n'avait pas encore recouvré la parfaite maîtrise de ses émotions, il ne pouvait prendre le risque de rester seul avec elle.

— Va-t'en, Cassie, demanda-t-il sur un ton pressant. Je t'en prie, laisse-moi maintenant.

Parce que obéir était devenu chez elle une seconde nature, Cassie faillit tourner les talons. Mais cette fois l'enjeu était trop important, elle se ravisa et resta fermement plantée devant lui.

— Peut-être n'es-tu pas fâché contre moi, reprit-elle, mais tu ne me feras pas croire que tu n'es pas contrarié, et je déteste en être la cause.

Il était pénible et presque terrifiant pour elle de soutenir son regard alors qu'y couvait une telle colère. Bien sûr, elle savait qu'il ne lèverait jamais la main sur elle. Mais une part secrète au fond d'elle-même n'en était pas tout à fait certaine. Pourtant, puisqu'il en allait de l'avenir de leur relation, elle n'avait d'autre choix que de surmonter sa crainte et de se lancer.

— Je n'aurais jamais dû t'embrasser, dit-elle avec un calme qui l'étonna. C'était très maladroit. Mais, tu sais, je n'y attachais pas plus d'importance que cela.

Cassie vit la colère refluer dans les yeux de Devin, remplacée aussitôt par une profonde tristesse.

— Je le sais parfaitement…, souffla-t-il.

Décidée à crever enfin l'abcès, Cassie prit une profonde inspiration avant de poursuivre. Son cœur battait si fort à ses tympans qu'il lui était difficile de s'entendre parler.

— Et puis, à ton tour, tu m'as embrassée. Tu m'as dit

que tu t'en voulais de n'avoir pu te retenir de le faire, mais je ne veux pas qu'il en soit ainsi. Cela n'avait pas d'importance à mes yeux.

— Cela n'avait pas d'importance à tes yeux…, répéta Devin en détachant soigneusement chaque syllabe. Très bien. N'en parlons plus. Laisse-moi maintenant.

— Pourquoi m'as-tu embrassée ainsi ?

Sur ces derniers mots, la voix de Cassie flancha en même temps que ce qui lui restait de courage.

— Comme je te l'ai dit, répondit Devin, j'ai été pris par surprise.

Puis, voyant qu'elle continuait à le contempler de ses grands yeux tranquilles sans rien dire, il sentit quelque chose se briser en lui et laissa libre court à son emportement.

— Mais bon sang ! Qu'est-ce que tu veux à la fin ? Ne t'ai-je pas dit que j'étais désolé ? Ne t'ai-je pas dit que cela ne se reproduirait plus ? Pourquoi me harceler ainsi alors que je fais de mon mieux pour éviter de te croiser ? Voilà douze ans que j'attends de t'embrasser, et lorsque l'occasion m'en est enfin donnée, je ne trouve rien de mieux à faire que de te manger toute crue. Il faut me pardonner, Cassie. Je n'avais pas l'intention de te blesser.

Les genoux de Cassie se mirent à trembler, mais ce n'était pas sous l'effet de la peur. Elle avait suffisamment connu la peur au cours de son existence pour en reconnaître les effets. Ce qui l'agitait ainsi était un sentiment tout neuf, très fort et très doux, qu'il lui semblait n'avoir jamais connu.

— Tu ne m'as pas blessée.

Péniblement, elle dut déglutir avant de poursuivre.

— Cela n'avait pas d'importance. Cela n'a pas d'importance.

— J'ai une envie folle de t'embrasser de nouveau.

Au moment de prononcer ces mots, Devin les regrettait déjà, mais il était trop tard pour les retenir.

— Cela n'a pas d'importance…, répéta Cassie d'une voix sourde, parce que c'était la seule chose qui lui venait à l'esprit.

Elle ne fit pas un geste en le voyant s'avancer vers elle. Elle n'avait pas la moindre idée de ce qu'elle devait faire, de la façon dont elle devait réagir. Elle aurait aimé laisser ses doigts courir sur cette poitrine si forte, si rassurante, mais n'en eut pas le courage. Puis elle n'eut plus à penser à rien, à s'inquiéter de quoi que ce soit. Tendrement, Devin lui encadra le visage de ses deux mains et laissa ses lèvres s'abaisser vers les siennes, avec une patience, avec une douceur dont elle ne l'aurait jamais cru capable.

Son cœur se mit à battre la chamade et elle eut la sensation de le sentir s'envoler dans sa poitrine, comme si la porte d'une cage fermée depuis des années venait brusquement d'être ouverte. Quand il l'attira à lui, juste un tout petit peu plus près de lui, elle pensa flotter à sa rencontre. Ses lèvres s'entrouvrirent sur un soupir émerveillé. Ce baiser ne ressemblait en rien à celui qu'il lui avait donné dans le salon de la maison Barlow. Dans la pénombre pailletée de rayons de soleil du sous-bois, parmi les fleurs sauvages et les chants d'oiseaux, il n'y avait rien au monde de plus naturel, de plus nécessaire, de plus évident que ce baiser-là.

Les cris et les rires assourdis qui leur parvenaient depuis le parc bourdonnaient comme des abeilles dans son esprit. Comme ce monde-là semblait loin tout à coup. Elle ne se rendit compte qu'elle avait saisi Devin aux poignets qu'en sentant battre son pouls rapide et régulier contre ses doigts. Avec reconnaissance, Cassie resserra son emprise, s'accrochant à cette pulsation obstinée comme à une bouée dans un océan de sensations déstabilisantes. De brillantes couleurs ondulèrent sur l'écran de ses paupières closes. Ce baiser, qui durait encore et encore, semblait étirer le temps à l'infini. Enfin, lorsque Cassie lâcha ses poignets et laissa retomber mollement ses mains, Devin y mit fin et s'écarta doucement pour l'observer.

— Cassie ? murmura-t-il, un soupçon d'inquiétude dans la voix.

Même si elle n'en avait aucune envie, elle se résolut à ouvrir les yeux, étonnée de retrouver le monde identique à lui-même. Voyant Devin scruter anxieusement son visage, elle lui adressa un sourire rassurant.

— A présent, dit-elle, je ne sais pas quoi dire.

Ce qui n'était pas tout à fait le cas, en réalité.

— A part que j'aimerais que tu m'embrasses de nouveau.

Douze ans d'autocensure empêchèrent Devin de laisser libre cours au grognement de désir qui montait en lui. Fermement, il la prit par les épaules pour la tenir loin de lui, à bout de bras.

— Pas maintenant.

S'ils restaient seuls une minute de plus dans ce bois, il se sentait capable de la jeter sur son épaule pour l'entraîner derrière un buisson, et il n'était pas certain qu'ils fussent ni l'un ni l'autre préparés à cela.

— Je pense qu'il vaudrait mieux attendre un peu, reprit-il d'une voix blanche.

— Personne ne m'a jamais embrassée ainsi, dit Cassie.

Personne ne m'a jamais fait ressentir ce que je viens de ressentir.

A ces mots, Devin serra les dents.

— Partons, dit-il en l'entraînant par la main. Je… Je n'ai pas encore déjeuné.

— Oh ! s'exclama Cassie avec sollicitude. Tu dois être affamé.

A grand-peine, Devin parvint à s'abstenir de rire.

— Tu ne crois pas si bien dire.

Chapitre 5

— Tu m'ôtes une belle épine du pied, Cassie.

Après avoir allongé Nate dans son lit pliant, Regan se baissa pour déposer deux gros baisers sur ses joues. Elle sourit en le voyant battre joyeusement des jambes, puis, se retournant vers Cassie, elle ajouta :

— Avec cette vente aux enchères que je ne peux rater et Rafe qui doit superviser deux chantiers à la fois, je ne sais pas ce que nous aurions fait sans toi, ce matin.

— C'est vraiment une corvée…, plaisanta Cassie. Je ne peux pas imaginer quelque chose de plus assommant que d'avoir à câliner un beau bébé toute la journée.

Un sourire radieux se dessina sur les lèvres de Regan.

— Il est merveilleux, n'est-ce pas ? dit-elle avec une évidente fierté maternelle. Je n'en reviens pas qu'il ait déjà cinq mois !

Revenant vers son fils, elle actionna le mobile musical accroché au lit pliant et s'émerveilla de voir Nate suivre des yeux avec fascination les formes colorées.

— Je lui ai donné son biberon il y a moins d'une heure, précisa-t-elle. Dans ce sac, tu trouveras ses couches, son hochet, deux changes complets…

— Regan…, intervint Cassie avec un sourire amusé. Ne penses-tu pas qu'après avoir eu deux enfants je saurai me débrouiller ?

— Je n'en doute pas une seconde ! protesta-t-elle. C'est juste que je me sens un peu coupable de te demander ce service alors que tu es déjà tellement occupée ici.

— Rafe et toi, vous êtes des exploiteurs, c'est vrai. Mais j'ai appris à prendre mon mal en patience. J'ai de l'expérience dans ce domaine.

Surprise et ravie de découvrir son amie d'humeur aussi facétieuse, Regan l'observa quelques instants d'un air songeur.

— On dirait que tu réapprends à prendre la vie du bon côté, reprit-elle enfin. Tu souris, tu plaisantes, et je suis pratiquement certaine de t'avoir entendue chanter quand je suis arrivée.

— C'est que je suis heureuse.

Comme intimidée par cette confidence, Cassie s'empressa d'ouvrir le lave-vaisselle pour y ranger les assiettes et les couverts qu'elle venait de rincer.

— Je n'aurais jamais imaginé que je pourrais l'être autant un jour, ajouta-t-elle. Grâce à vous, qui me permettez de vivre dans la plus merveilleuse maison du monde.

Les yeux mi-clos, Regan la considéra d'un œil dubitatif.

— Et cela suffit à te rendre d'humeur si guillerette ? dit-elle.

Tout à sa tâche, Cassie redoubla d'ardeur. Si elle avait pu entrer dans le lave-vaisselle, elle ne s'en serait pas privée.

— Eh bien…, marmonna-t-elle. Il y a peut-être autre chose, mais je ne voudrais pas te retenir trop longtemps.

— Ne t'inquiète pas pour cela, rétorqua Regan. Il me reste encore quelques minutes avant d'être vraiment en retard.

Cassie n'hésita plus. S'il y avait quelqu'un à qui elle pouvait parler en toute confiance, c'était bien Regan, qui n'avait cessé d'être sa confidente et de l'épauler au cours de toutes ces années. S'obligeant à respirer profondément, elle se redressa d'un bloc et se lança.

— Devin, dit-elle en rougissant. Il s'agit de Devin. C'est-à-dire. J'y accorde peut-être trop d'importance — ou peut-être pas assez. C'est juste que… Eh bien… Veux-tu prendre un café ?

— Cassie.

— Il m'a embrassée.

Après tant d'atermoiements, l'aveu était sorti presque de lui-même. Surprise, Cassie émit un petit rire nerveux, qu'elle fit taire aussitôt en plaquant une main sur ses lèvres.

— Enfin ! s'exclama Regan, visiblement aux anges. J'ai bien cru qu'il ne se déciderait jamais.

— Cela ne t'étonne pas ?

— Cassie… S'il le fallait, cet homme marcherait sur des braises pour toi. Depuis des années. Il n'y a que toi pour ne pas t'en être aperçue.

Décidant que finalement un café pourrait lui être utile, Regan marcha jusqu'à la cafetière et se servit elle-même.

— Alors…, reprit-elle avec impatience. Raconte-moi.

Mal à l'aise, Cassie passa une main nerveuse dans ses cheveux.

— Que veux-tu que je te raconte ?

Avec un soupir, Regan s'adossa au comptoir et sirota son café à petites gorgées.

— Si l'on part du principe, dit-elle, que deux frères doivent avoir bien plus en commun que la couleur de leurs yeux, et si j'en crois mon expérience avec Rafe, ce baiser a dû être mémorable.

— Cela s'est passé lors du pique-nique, confia Cassie.

C'était il y a deux jours, mais j'ai l'impression d'en avoir encore la tête qui tourne.

— Je l'aurais parié, commenta Regan. Que comptes-tu faire à présent ?

La question eut le don de dérouter Cassie.

— Je n'en ai pas la moindre idée. Que devrais-je faire à ton avis ?

Voyant son amie s'amuser de sa candeur, Cassie fronça les sourcils et s'empara d'un chiffon pour essuyer vigoureusement l'évier.

— Imagine-toi, reprit-elle, que j'ai connu Joe à seize ans et que je n'ai jamais fréquenté aucun autre homme que lui.

Frappée de l'entendre évoquer son ex-mari, Regan reposa sa tasse à grand bruit et fit une grimace éloquente.

— Je te demande pardon, s'excusa-t-elle. Dans ces conditions, n'importe quelle femme serait pour le moins nerveuse à l'idée de s'engager dans une relation avec un autre homme.

Parce que ce qu'elle avait à dire lui coûtait beaucoup, Cassie délaissa son chiffon et se réfugia de nouveau dans le rangement du lave-vaisselle.

— Je n'aime pas le sexe, dit-elle d'une voix neutre. Je n'ai jamais été douée pour cela, et de toute façon cela ne m'intéresse pas.

Regan secoua la tête d'un air peiné.

— Pauvre Cassie…, murmura-t-elle. Les séances de psychothérapie ne t'ont donc pas aidée ?

— Elles m'ont été d'un grand secours ! Et je te remercie de m'avoir convaincue de les suivre. J'en arrive à m'apprécier telle que je suis, et je me sens beaucoup plus sûre de moi que je ne l'ai jamais été. J'ai compris également que je ne méritais pas d'être battue, que cela n'était en aucune manière ma faute, et que j'ai fait le bon choix en décidant de mettre un terme à cet enfer.

Les joues roses et le regard brillant, Cassie se redressa et croisa frileusement les bras contre sa poitrine.

— Mais je sais aussi, poursuivit-elle avec un gros soupir, que toutes les femmes ne sont pas faites pour aimer le sexe. J'ai lu quelque chose à ce sujet.

Voyant que Regan s'apprêtait à protester, elle haussa la voix pour s'empresser de conclure :

— Quoi qu'il en soit, je suis prête à faire les efforts nécessaires. Je ne suis pas stupide, et je sais que Devin, comme tout homme, a des besoins, que je suis prête à satisfaire s'il le faut.

Cette fois, Regan ne put retenir un rire grinçant, dont elle tenta d'atténuer la portée par un sourire désolé.

— Non, confirma-t-elle. Tu n'es pas stupide. Mais comme tout le monde, il t'arrive de dire des choses qui le sont. Et celle-ci en est une. Faire l'amour ne peut en aucun cas être une corvée ennuyeuse mais nécessaire, comme faire la vaisselle.

Cassie sourit de la remarque sans se formaliser. Elle connaissait suffisamment Regan pour savoir que pour rien au monde elle n'aurait cherché à la blesser.

— Ce n'est pas non plus ce que je voulais dire. J'aime beaucoup Devin, depuis toujours. Mais je ne savais pas qu'il était attiré par moi. J'en suis flattée et… je dois avouer que je commence à me demander si je ne suis pas un peu attirée par lui, moi aussi. Il est si beau, et si gentil. Je sais qu'il ne me fera jamais de mal.

Regan hocha la tête comme pour la rassurer sur ce point. Non, songeait-elle avec un sombre pressentiment.

Pour rien au monde Devin ne ferait de mal à Cassie. Mais, sans même s'en apercevoir, celle-ci ne risquait-elle pas de lui en faire à lui ?

— Ce simple baiser était déjà une expérience merveilleuse, conclut Cassie avec conviction. Je suis sûre que faire l'amour avec lui sera très agréable.

Prudemment, Regan masqua son sourire en achevant sa tasse de café. Si Devin était aussi doué que Rafe en la matière, agréable n'était pas précisément le mot qu'elle aurait choisi quant à elle.

— T'a-t-il déjà proposé de le suivre au lit ? s'enquit-elle sans détour.

— Non, répondit Cassie. Il n'a même pas voulu m'embrasser une deuxième fois lorsque je le lui ai demandé. A ton avis, comment puis-je lui faire comprendre que cela ne me gêne pas de…

Il fallut à Regan toutes les ressources de sa volonté pour garder son sérieux. Après être allée déposer sa tasse dans le lave-vaisselle, elle vint prendre les mains de Cassie dans les siennes et chercha son regard.

— Si tu veux mon avis, dit-elle avec conviction, te connaissant et connaissant Devin, le mieux que tu aies à faire est de le laisser aller au rythme qu'il aura choisi, sans précipitation excessive. Tu peux compter sur lui pour ne pas t'emmener où tu ne voudrais pas aller avant que tu n'y sois prête. Alors détends-toi, et laisse-le venir.

— Tu crois vraiment ? s'étonna Cassie.

— Oui. Et surtout, ne cherche pas à le comparer à Joe. Tout comme tu ne dois pas confondre la femme qu'il terrorisait avec celle que tu es à présent. Si tu y parviens, je suis persuadée que tout se passera bien et que tu ne seras pas au bout de tes surprises.

En milieu d'après-midi, Cassie en eut terminé avec la plupart de ses tâches journalières. Nate faisant paisiblement sa sieste dans la chambre d'Emma, elle commençait à envisager quelques travaux de désherbage lorsqu'elle entendit frapper à sa porte.

Troublée à l'idée que ce pût être Devin s'arrêtant à la Résidence pour une de ses visites surprises, elle déchanta bien vite en découvrant sa mère sur le pas de la porte, plus rigide et sévère que jamais dans un grand manteau noir tout à fait hors de saison.

— Bonjour, maman.

Avec empressement, Cassie écarta l'écran de la moustiquaire et s'effaça sur le seuil pour la faire entrer.

— Quel plaisir de te voir…, reprit-elle. Tu tombes à pic, je viens juste de faire du thé glacé et il me reste un peu de tarte aux cerises.

— Tu sais bien que je ne prends jamais de douceurs au milieu de la journée, répondit sévèrement sa mère.

Sans plus s'occuper de sa fille, Constance Connor examina le salon dans lequel elle venait de pénétrer. Aussi étonnant que cela puisse paraître, l'intérieur de sa fille était net et bien rangé. Apparemment, elle avait bien profité de ses leçons.

En revanche, elle ne pouvait approuver ces couleurs vives, ces coussins, ces babioles. Toutes ces fantaisies n'étaient pas seulement inutiles, elles étaient la marque d'un orgueil qui ne pouvait qu'offenser Dieu. Reniflant ostensiblement pour bien marquer sa désapprobation, elle dédaigna le sofa que Cassie lui indiquait d'un geste pour aller s'asseoir au bord d'une des chaises de la salle à manger, le dos bien droit, les mains croisées sur son sac à main posé sur ses genoux.

— Je ne le répéterai jamais assez, attaqua-t-elle d'emblée en coiffant sa fille d'un œil sévère, il n'est pas convenable pour une femme mariée de vivre dans la maison d'un autre homme que son mari.

Plus que rodée à ce vieux débat, Cassie lui fit sa réponse habituelle.

— Tu oublies que j'ai vécu dans la maison de M. Halleran pendant près de dix ans.

— Pour le prix d'un loyer, rétorqua sèchement Constance. Cela n'a rien à voir.

— Un loyer, insista Cassie, que je paie ici par mon travail. Où est la différence ?

— Tu sais très bien où est la différence. Les enfants sont à l'école, n'est-ce pas ?

— Oui. Ils vont bien, je te remercie. Avant une heure ils seront de retour et j'espère que tu seras toujours là pour les embrasser.

— C'est toi que je suis venue voir. Assieds-toi.

D'un geste sec, elle ouvrit son sac et en tira une lettre. Cassie n'avait nul besoin de reconnaître l'écriture sur l'enveloppe pour en deviner l'auteur.

— Voici la dernière lettre que j'ai reçue de ton mari, expliqua Constance en la lui tendant par-dessus la table. Elle est arrivée au courrier ce matin. Je veux que tu la lises.

Cassie se redressa sur sa chaise et préféra mettre ses mains à l'abri sur ses genoux, de peur que sa mère n'y glisse d'office la missive.

— Il n'en est pas question, répondit-elle tranquillement.

Les yeux rétrécis sous l'effet d'une colère froide, Constance scruta longuement le visage de sa fille.

— Cassandra ! Que tu le veuilles ou non, tu liras cette lettre !

— Non, maman. Je te répète qu'il n'en est pas question. Et je te rappelle que cet homme n'est plus mon mari.

Après avoir pâli à l'extrême, le visage de la vieille dame prit une teinte rouge brique.

— Tu as prononcé des vœux devant le Seigneur ! lança-t-elle d'une voix sifflante. Cela ne signifie donc rien pour toi ?

— Par la force des choses, répondit Cassie, j'ai dû rompre ces vœux.

Tant bien que mal, elle s'obligea à respirer calmement. Il était dur, très dur pour elle, d'empêcher ses mains et sa voix de trembler et de refouler les larmes qui lui montaient aux yeux, mais elle y était fermement déterminée.

— Et tu en es fière ! s'exclama Constance. Tu devrais avoir honte. Nul ne peut désunir ce que le Seigneur a uni.

— Je n'en suis pas fière, répondit Cassie sans s'énerver. Mais tu ne parviendras pas à me rendre coupable d'avoir brisé des vœux que Joe lui-même avait trahis depuis bien longtemps.

Les yeux rivés à ceux de sa mère, Cassie refusait obstinément de regarder la lettre, furieuse à l'idée que même par ce biais infime son ex-mari ait réussi à s'introduire chez elle.

— Tu te rappelles ces vœux, maman ? Il avait juré devant Dieu de m'aimer, de m'honorer et de me chérir. Est-ce qu'il m'aimait, lorsqu'il me battait comme plâtre devant mes enfants ? Est-ce qu'il m'honorait lorsqu'il me rabaissait plus bas que terre à la moindre occasion ? Est-ce qu'il me chérissait, quand il me violait parce que l'une de ses maîtresses l'avait rejeté ?

Le visage figé, les yeux secs, Constance détourna le regard.

— Tais-toi ! ordonna-t-elle à voix basse. Rien ne t'autorise à parler ainsi de ton mari.

Mais rien ne pouvait faire taire Cassie. Avec obstination, elle poursuivit :

— Je suis venue vers toi, lorsqu'il m'avait si sévèrement battue que je pouvais à peine marcher, lorsque mes enfants étaient tellement terrifiés qu'ils en étaient inconsolables. Et tu n'as pas voulu que nous restions chez toi.

— Ta place était dans ton foyer, à faire de ton mieux pour que ce mariage réussisse.

— Maman…, protesta Cassie d'une voix lasse. J'ai fait de mon mieux, comme tu dis, pendant plus de dix ans. Cela m'a presque tuée, et tu n'as jamais rien fait pour venir à mon secours.

— Ce n'est tout de même pas ma faute si tu l'obligeais à te dresser…

Saisie d'un haut-le-cœur, Cassie se dressa d'un bond. Bruyamment, les pieds de sa chaise raclèrent le carrelage.

— A me dresser ! répéta-t-elle, aussi furieuse qu'incrédule. Mais il n'avait nullement le droit de me dresser. J'étais sa femme, pas son chien ! Et même un chien ne mériterait pas d'être traité comme je l'ai été. Figure-toi que Joe me « dressait » si bien que je serais morte, si je l'avais laissé faire.

— Tu dramatises tout, protesta Constance avec un claquement de langue agacé. De toute façon, le passé est le passé. Grâce à Dieu, Joe a fini par comprendre ses erreurs et par rejoindre le droit chemin. Ce sont l'alcool et les femmes de mauvaise vie qui ont causé sa perte. Il te demande de lui pardonner et il espère ardemment que tu voudras bien reprendre la vie commune avec lui à sa sortie de prison.

Cassie regarda les longs doigts osseux de sa mère ranger la lettre dans son sac et le refermer d'un geste sec. Elle ne portait pour toute bague qu'un simple anneau d'or terni, qui depuis bien longtemps n'avait plus lancé le moindre éclat. Soudain, elle eut le cœur serré à l'idée que cette pauvre alliance était à l'image du mariage de ses parents — terne, sans vie, sans joie. A tel point qu'il lui arrivait parfois de se demander si son père n'avait pas choisi de se laisser emporter par la maladie simplement pour échapper à sa femme.

— Comment peux-tu me faire ça ? répondit-elle en s'arrachant à cette contemplation avec un frisson de dégoût. Ne suis-je pas ta fille, ton seul enfant ?

Au-delà de toute tristesse ou de toute colère, Cassie ne se sentait plus habitée que par une froide détermination.

— Comment peux-tu prendre ainsi le parti de l'homme qui m'a blessée, trahie, humiliée durant tant d'années ? poursuivit-elle d'une voix égale. Tu ne veux donc pas que je sois heureuse ?

— Je veux que tu fasses ce que tu as à faire. Je veux que tu fasses ce que je te demande de faire, et ce que le Seigneur attend de toi.

— Oui. C'est tout ce que tu as toujours voulu de moi. Que je fasse ce que tu me demandais de faire. Que je sois ce que tu voulais que je sois. T'es-tu déjà demandé pourquoi je me suis mariée si jeune, maman ?

Cassie avait du mal à croire que ces mots, censurés au plus profond d'elle-même depuis tant d'années, fussent enfin sortis de sa bouche. Mais il était à présent trop tard pour les arrêter, tout comme il lui était impossible de refouler le profond sentiment d'injustice et de révolte qui les lui inspirait.

— C'était pour m'éloigner de toi, conclut-elle dans un souffle. Pour m'évader de cette maison dans laquelle personne ne riait jamais, dans laquelle personne ne témoignait jamais d'affection à personne.

Cette fois, ce fut au tour de sa mère de vibrer d'indignation et de colère.

— Tu as eu une enfance heureuse, dans un foyer équilibré ! J'ai toujours fait en sorte de te donner une éducation digne et chrétienne.

— Tu te trompes. Il n'y a rien de digne ou de chrétien dans un foyer sans amour. Tu es ma mère et je te montre tout le respect que je te dois. Tout ce que je te demande, c'est de me respecter comme je te respecte. Je veux que tu arrêtes de correspondre avec Joe.

Ulcérée, Constance se dressa sur ses jambes.

— Tu oses donner des ordres à ta mère, à présent !

Plus déterminée que jamais, Cassie vint se placer face à elle, les bras croisés, et soutint vaillamment son regard impérieux.

— Maman, es-tu prête à arrêter de répondre à ses lettres et de faire pression en sa faveur auprès des autorités ?

— Certainement pas !

— Alors, tu n'es plus la bienvenue dans ma maison. Nous n'avons plus rien à nous dire.

Ebahie, Constance regarda sa fille marcher d'un pas résolu jusqu'à la porte et ouvrir la moustiquaire pour lui indiquer la sortie.

— Tu regretteras ce que tu viens de faire, prévint-elle

d'une voix blanche. Ressaisis-toi avant qu'il ne soit trop tard.

— C'est ce que je viens de faire, maman. Adieu.

Devin s'apprêtait à tambouriner gaiement contre le cadre de la moustiquaire lorsqu'il aperçut Cassie assise dans la salle à manger. Tassée au bord d'une chaise, les mains jointes entre ses cuisses serrées, les épaules tombantes, elle fixait le vide d'un œil hagard. Il l'avait déjà vue ainsi, lorsqu'elle était venue, à demi morte de peur, le visage ravagé par les coups, porter plainte dans son bureau contre son mari.

Redoutant le pire, Devin renonça à s'annoncer et pénétra en trombe dans la pièce. Cassie, comme un animal pris au piège, se redressa d'un bond, les yeux écarquillés, tremblant de tous ses membres.

— Dev... Devin ! balbutia-t-elle. Je ne t'avais pas...

Sans lui laisser le temps de poursuivre, Devin se précipita vers elle et la prit dans ses bras. L'instant d'après, elle sanglotait sans retenue contre son épaule, mouillant sa chemise de larmes amères. Tendrement, il lui embrassa les cheveux, caressa son dos d'une main légère pour tenter de la réconforter.

— Dis-moi..., lui murmura-t-il à l'oreille. Dis-moi ce qui se passe, que je puisse t'aider.

Le récit qu'elle lui fit, entrecoupé de sanglots, était loin d'être complet et cohérent mais il ne lui en fallut pas plus pour comprendre ce qui s'était passé et pour maudire une fois de plus l'inhumaine bigoterie de Constance Connor.

— Tu as fait ce que tu avais à faire, la rassura-t-il en

redoublant d'efforts pour apaiser son chagrin. Tu as fait ce qui est juste pour toi et tes enfants.

— Mais c'est ma mère ! gémit Cassie en redressant la tête pour tourner vers lui un visage ravagé par les larmes. C'est ma propre mère que j'ai renvoyée.

— Qui a renvoyé qui, Cassie ?

Alors que ses sanglots redoublaient, Cassie serra les poings et laissa libre cours à sa frustration en martelant les épaules de Devin. Soudain, depuis le seuil, retentit une voix d'enfant furieuse et déterminée.

— Lâchez-la tout de suite !

L'écran de la moustiquaire venait de claquer violemment contre le mur. Vincent, le visage pâle et déformé par la colère, surgit en trombe dans la pièce.

Il ne fallut pas plus d'un instant à Devin pour comprendre ce qui se passait sous le crâne de ce garçon de dix ans qui le menaçait de ses poings. Tout ce qu'il voyait — tout ce qu'il pouvait voir — c'était sa mère en larmes dans les bras d'un homme qui la retenait contre lui.

Consternée tout autant par le fait que son fils s'en prenne à Devin que par cette violence qui lui ressemblait si peu, Cassie se retourna, le visage sévère sous les larmes qui le maculaient.

— Vincent ! cria-t-elle. Je t'interdis de parler ainsi au shérif MacKade.

Tous les sens en alerte, aussi tendu qu'un chat prêt à bondir, le garçon ne tint aucun compte de cet avertissement.

— Retirez vos mains de ma mère, lança-t-il d'une voix grinçante. Lâchez-la sinon je vous tue !

Derrière Vince, Cassie aperçut le visage apeuré de la petite Emma.

— Vince ! protesta-t-elle de nouveau. Peux-tu me dire ce qui te prend ?

— Il était en train de te faire du mal, répondit le garçon, sur la défensive. Il était en train de te faire pleurer. Il ferait mieux de s'en aller.

Cassie fit un pas vers son fils pour s'interposer entre lui et Devin.

— Ce n'est pas le shérif MacKade, expliqua-t-elle, qui m'a fait pleurer. C'est ta grand-mère. Elle m'a rendu visite cet après-midi et nous nous sommes disputées. Quand tu es arrivé, Devin ne faisait rien d'autre qu'essayer de me réconforter. Je veux que tu t'excuses. Tout de suite !

Devin vit les épaules de Vince s'affaisser brutalement et le rouge de la honte apparaître sur ses joues. Sans le quitter des yeux, il s'avança pour poser doucement une main sur l'épaule de Cassie.

— J'aimerais parler à Vince, dit-il. D'homme à homme.

Pour couper court aux protestations qui n'allaient pas manquer de suivre, il resserra son emprise sur l'épaule frêle et ajouta :

— Cass. Le bébé est en train de pleurer. Pourquoi n'irais-tu pas t'en occuper avec Emma ?

— Nate ! s'exclama Cassie, affolée. Je l'avais oublié.

— Il ne pleure pas depuis longtemps, la rassura-t-il. Pendant que vous le consolez, Vince et moi allons faire un tour dehors pour nous expliquer.

— Très bien, consentit Cassie à regret.

Puis, se tournant vers son fils, elle le fusilla du regard.

— Mais je compte sur toi pour présenter tes excuses au shérif, dit-elle. Tu m'entends, Vince ?

— Oui, m'man.

Le menton contre la poitrine, les yeux pleins de larmes,

Vincent se dirigea vers la porte comme un condamné vers la potence. Il savait parfaitement à quoi s'attendre. Son père s'était toujours arrangé pour le battre loin de la maison, afin que sa mère n'en sache rien. Et à présent, il allait prendre une autre raclée. Seulement, celle-ci serait plus sévère que toutes celles que son père lui avait infligées. Parce que le shérif MacKade représentait la loi et l'ordre, et parce qu'il l'avait défié en croyant bien faire.

Devin ne dit rien durant un bon moment, marchant simplement à côté du garçon à travers la pelouse, en direction des bois. Il laissait ses pas le guider. Les bois lui étaient aussi familiers que les rues de sa ville, que sa propre maison, que l'entrelacs de ses souvenirs. A côté de lui, Vince marchait la tête basse, le dos raide et les bras serrés contre sa poitrine.

Pour ne pas blesser cet enfant écorché vif plus qu'il ne l'était déjà, Devin résista à l'impulsion de poser un bras amical sur ses épaules. Il attendit d'avoir atteint cette clairière où la légende racontait que deux jeunes soldats ennemis et égarés s'étaient affrontés lors de la bataille d'Antietam pour s'arrêter.

Tandis qu'il s'asseyait au pied d'un gros éboulis de rochers dominé par un arbre mort, Vince resta debout face à lui, les mains croisées derrière le dos, la tête basse, apparemment résigné au pire.

— Vincent, commença Devin, je suis extrêmement fier de toi.

Ces mots — les derniers que Vincent se serait attendu à entendre — lui firent lever la tête.

— Fier de moi ? murmura-t-il.

Devin hocha solennellement la tête et sortit une cigarette de sa poche.

— Je dois dire que je m'inquiète parfois de savoir ta mère seule avec vous dans cette grande maison, reprit-il. Savoir que tu es près d'elle et que je peux compter sur toi me tranquillise beaucoup.

Vincent était bien trop abasourdi pour être fier du compliment. Les yeux toujours méfiants, il dévisageait Devin tout en se demandant où pouvait être le piège.

— Mais je…, marmonna-t-il. Je vous ai manqué de respect.

— Ah bon ? fit Devin. Je ne le pense pas, non.

— Alors ? Alors vous n'allez pas me battre ?

Les doigts de Devin se crispèrent sur sa cigarette à peine allumée. D'un geste déterminé, il la jeta sur le sol pour l'écraser sous son talon, comme il aurait aimé le faire à cet instant de la face de brute de Joe Dolin.

— Ecoute-moi bien, Vincent.

Les yeux rivés à ceux du garçon, Devin parlait d'une voix égale et déterminée, comme un homme s'adressant à un autre homme.

— Je ne lèverai pas la main sur toi, ni aujourd'hui, ni jamais. Tout comme je ne lèverai jamais la main sur ta mère, ni sur ta sœur.

Comme pour sceller ce pacte, Devin tendit une main devant lui, étonné de parvenir encore à l'empêcher de trembler.

— Je t'en donne ma parole, dit-il en voyant le gamin hésiter à répondre à son geste. Et je serais heureux que tu me fasses confiance.

Bien plus ébahi que soulagé, Vincent finit par glisser sa main dans cette impressionnante main d'homme qui se tendait vers lui.

— Oui, monsieur.

Devin serra chaleureusement la main de Vincent et lui décocha dans l'épaule un petit coup de poing amical en souriant.

— Tu me serais rentré dedans sans hésiter, pas vrai ?

Un pâle sourire joua sur les lèvres du garçon.

— J'aurais essayé.

Les émotions qui se bousculaient en lui étaient effrayantes. Plus que tout, il redoutait de se mettre à pleurer, ce qui aurait permis au shérif MacKade de s'apercevoir qu'il n'était pas si digne de sa confiance qu'il le croyait.

— Avant, souffla-t-il en baissant les yeux, je n'avais jamais rien fait pour l'aider. Jamais. Je m'étais promis que cela n'arriverait plus.

Devin dut se retenir pour ne pas le serrer contre sa poitrine.

— Ce n'était pas ta faute, Vince.

— Je n'ai jamais rien fait, répéta-t-il d'un air buté. Il la battait tout le temps, shérif. Tout le temps.

— Je sais.

— Non, vous ne savez pas tout. Vous ne veniez que lorsqu'un des voisins vous appelait. Mais c'était la guerre tous les jours à la maison.

Lentement, parce que c'était tout ce qu'il pouvait faire, Devin hocha la tête. Puis, tapotant la roche du plat de la main, il invita d'un sourire engageant Vincent à s'asseoir près de lui.

— Ton père te battait aussi, n'est-ce pas ?

— Lorsque maman ne pouvait le voir.

Devin laissa son regard s'échapper vers la cime des arbres, rongé par la culpabilité de ne s'être rendu compte de rien.

— Emma ? demanda-t-il, le cœur lourd d'une sourde appréhension.

— Non, répondit Vincent sans hésiter. Il ne s'est jamais intéressé à elle. Parce que c'est une fille, je suppose.

Puis, levant vers Devin un regard implorant, Vincent supplia :

— Surtout, ne dites rien à maman ! Ne lui dites pas qu'il me battait. Ça lui ferait du mal pour rien.

— Je te le promets.

Rassuré, Vincent se laissa aller contre lui en toute confiance. Devin, cette fois, entoura ses épaules d'un bras protecteur.

— N'importe quel homme serait fier de t'avoir pour fils, murmura-t-il.

Imparable, la réponse jaillit aussitôt des lèvres du garçon, nette et définitive.

— Je ne veux plus jamais avoir de père ! Plus jamais.

Sur l'épaule de Vincent, la main de Devin se fit soudain plus légère. Réprimant un soupir, il retira son bras et reprit :

— Alors, disons simplement que n'importe quel homme serait heureux de t'avoir pour ami. Sommes-nous amis, Vince ?

— Oh ! oui, monsieur !

Devin accueillit avec reconnaissance le regard empli de fierté du garçon.

— Ta mère doit s'inquiéter, dit-il avec un clin d'œil complice. Elle va sans doute s'imaginer que tu m'as mis K.O.

Amusé par cette idée, Vincent pouffa de rire dans ses mains, avec une insouciance réconfortante.

— Tu devrais y aller, reprit Devin en lui ébouriffant les cheveux. Tu n'as qu'à dire à Cassie que nous nous sommes arrangés entre hommes. Je reviendrai la voir demain. A présent, il me faut regagner mon bureau.

D'un bond, Vincent fut debout. Il commençait à s'éloigner lorsque, pris de remords, il se retourna vers Devin. Après avoir hésité un court instant, il prit une longue inspiration pour se donner du courage et se lança :

— Si vous le permettez, commença-t-il prudemment, j'aimerais venir vous voir travailler de temps en temps.

— Bien sûr ! Viens quand tu veux.

— Merci, shérif ! Merci pour tout.

Devin le regarda détaler et disparaître au détour du chemin, puis se rassit avec un profond sentiment de découragement. Pourquoi fallait-il, au moment où la femme qu'il attendait depuis tant d'années semblait faire un pas vers lui, que son fils lui signifie clairement qu'il ne voulait pas de lui pour père ?

Une chose à la fois, conclut-il en se redressant pour regagner son véhicule de patrouille. A présent qu'elle se montrait plus disponible, Cassie devait demeurer au centre de ses préoccupations. Si la vie lui avait appris une chose, c'était bien qu'il fallait parfois se montrer patient avant d'arriver à ses fins, et ne jamais courir plusieurs lièvres en même temps.

Chapitre 6

En dépit du fait que ce jour était théoriquement pour lui un jour de congé, Devin dut passer la moitié de la matinée à enquêter sur un attentat manqué au collège d'Antietam. En atterrissant dans le vestiaire des filles, la bombe fumigène artisanale confectionnée par quelque chimiste en herbe avait fait long feu. Au lieu du geyser de fumée qui aurait eu pour effet de vider les lieux de leurs occupantes en tenue légère, elle n'avait produit qu'un inoffensif fumet qui n'avait servi qu'à donner l'alerte.

Bien des années auparavant, celle qu'il avait lui-même mise au point s'était montrée autrement plus efficace. Ce qu'il se garda bien de révéler aux deux coupables lorsqu'il les eut confondus, tremblant de peur dans leurs baskets et jurant leurs grands dieux qu'on ne les y reprendrait plus.

Ce problème réglé et la paix civile rétablie au collège, Devin put enfin se rendre à la Résidence comme il en avait formé le projet dès le réveil. Il avait une surprise pour Cassie, et il lui tardait de voir comment elle réagirait en la découvrant.

Les visiteuses — deux vieilles dames aux cheveux blancs comme la neige — étaient arrivées à l'improviste. Après avoir débarrassé la table du petit déjeuner, Cassie avait eu juste le temps de commencer à passer l'aspirateur avant qu'elles ne se présentent à elle, émoustillées à l'idée de visiter une maison hantée.

Après avoir parcouru le premier étage, elles étaient toutes trois engagées dans le grand escalier de marbre et discutaient des différents épisodes de la bataille d'Antietam lorsque Devin pénétra dans le hall.

— Oh! s'exclama Cassie en l'apercevant. Bonjour, Devin.

— Mesdames…, salua-t-il en s'inclinant cérémonieusement. Ne vous interrompez pas pour moi, je vous en prie.

— Madame Berman, madame Cox, je vous présente le shérif Devin MacKade.

— Le shérif! s'exclama Mme Cox, rajustant ses lunettes pour mieux observer le nouveau venu. Comme c'est excitant.

— Antietam est une petite bourgade très tranquille, répondit Devin en les rejoignant. Certainement plus tranquille qu'elle ne l'était en ce jour funeste du mois de septembre 1862.

Sachant faire en sorte de plaire au touriste — l'une des rares ressources de la ville —, Devin gratifia les deux dames de son sourire le plus charmant.

— Savez-vous, reprit-il, que vous vous tenez précisément à l'endroit où fut assassiné autrefois un soldat sudiste blessé?

Mme Cox se mit à battre des mains comme une gamine incapable de refréner sa joie.

— Oh! mon Dieu! Tu entends ça, Irma?

— Je ne suis pas sourde, Marge.

Mme Berman se pencha pour scruter attentivement les

marches à ses pieds, sans doute dans l'espoir d'y découvrir quelque tache sanglante incrustée dans le marbre.

— C'est la réputation de cette maison, reprit-elle, qui nous a décidées à la visiter. On dit qu'elle est hantée ?

— Oui, madame, répondit Devin. Je peux vous l'assurer.

— Le shérif MacKade est le frère du propriétaire de la Résidence, expliqua Cassie. Nul n'est mieux placé que lui pour vous en parler.

— Certainement pas ! corrigea Devin en riant. Votre hôtesse ici présente, mesdames, a la chance de vivre jour après jour en compagnie des fantômes qui ont élu domicile ici. Raconte-nous donc l'histoire des deux caporaux, Cassie.

Bien qu'elle eût à raconter cette légende aux visiteurs plusieurs fois par semaine, Cassie ne put s'empêcher de se sentir intimidée d'avoir à le faire en présence de Devin. Tout en conduisant ses visiteuses dans le hall, s'efforçant de faire abstraction de sa présence, elle s'immergea dans ses souvenirs et se laissa porter par son récit.

— Deux jeunes soldats, commença-t-elle, furent séparés de leurs unités au plus fort de la bataille d'Antietam. Par un concours de circonstances, tous deux se retrouvèrent à errer dans les bois qui entourent cette maison. Certains disent qu'ils cherchaient à rejoindre leur régiment, d'autres qu'ils n'avaient plus que le désir de rentrer chez eux. Ce qui est sûr, c'est qu'ils s'y sont croisés, tous deux aussi jeunes, effrayés et perdus l'un que l'autre. Ils auraient pu faire semblant de s'ignorer et passer leur chemin, mais même dans leur déroute les nécessités de la guerre furent les plus fortes. Car l'un était habillé de gris, et l'autre de bleu.

— Pauvres garçons…, murmura Mme Berman.

— Alors, baïonnette au canon, ils se sont battus et se sont blessés mortellement l'un l'autre, avant de s'éloigner dans deux directions opposées. L'un — le soldat confédéré — tituba jusqu'à cette maison. On raconte que dans son délire il pensait être rentré chez lui, parce que tout ce qu'il souhaitait avant de mourir, c'était de retrouver son foyer, sa famille, ses amis. L'une des servantes le découvrit agonisant près du porche et prévint sa maîtresse. Abigail O'Brian Barlow était une femme du Sud, qui avait épousé très jeune un riche négociant yankee. Un homme qu'elle n'aimait pas, mais auquel la liaient les vœux qu'elle avait prononcés.

A ces mots, Devin fronça les sourcils. Une fois encore, Cassie ajoutait sans paraître s'en rendre compte un nouveau détail à cette légende qu'il connaissait depuis l'enfance.

— A travers ce jeune soldat blessé, poursuivait Cassie, Abigail sentit son cœur s'envoler vers sa propre enfance et son foyer perdu. Sans la moindre hésitation, elle donna des ordres pour qu'il fût transporté à l'étage, afin d'y soigner ses blessures. Dans l'escalier, pendant que deux valets le portaient, elle lui parla, le réconforta, lui tint la main. A défaut de pouvoir elle-même revoir un jour son pays, Abigail souhaitait faire en sorte que ce jeune compatriote au moins pût le faire. La guerre lui semblait aussi cruelle, inutile et injuste que son propre mariage. Si elle pouvait simplement accomplir cette petite chose, lui semblait-il, alors peut-être pourrait-elle vivre en paix et se résigner à son sort.

Cassie, comme transportée dans ce lointain passé, laissa son regard s'envoler au sommet de la volée de marches.

— C'est alors, reprit-elle d'une voix blanche, que le mari d'Abigail a surgi sur le palier. Elle ne le haïssait pas encore, à l'époque. Elle ne l'aimait pas, ne l'avait jamais aimé, mais on lui avait inculqué le devoir pour une femme d'accorder à son mari respect et obéissance. Le visage déformé par la haine, il avait une arme à la main et Abigail comprit tout de suite ses intentions. Au désespoir, elle cria vers lui, le supplia, mais rien n'y fit et John Barlow acheva le jeune soldat blessé d'un coup de revolver. Abigail, qui n'avait pas lâché sa main, sentit la mort s'emparer de lui. Simultanément, elle sentit tout espoir la quitter et la haine, une haine implacable, s'emparer de son cœur.

Mme Cox sortit un mouchoir en papier de sa poche, en tendit un à sa voisine, et se tamponna discrètement les yeux. Devin, fasciné, écoutait Cassie raconter cette histoire pourtant tellement connue de lui comme s'il la découvrait pour la première fois. Si Vincent avait un talent de conteur, il ne fallait pas en chercher l'origine ailleurs que dans les gènes qu'il partageait avec sa mère.

— A dater de ce jour, conclut Cassie, elle n'a plus jamais adressé la parole à son mari. Recluse dans sa chambre, elle s'est consumée de chagrin et de douleur pendant deux ans, avant que la mort ne vienne la prendre à son tour. Et depuis, très souvent, le parfum des roses qu'elle aimait tant se fait sentir dans la maison, et les sanglots de la pauvre Abigail se font entendre dans la nuit.

— Oh ! se lamenta Mme Cox en s'essuyant les yeux de plus belle. Quelle triste histoire. Irma, as-tu déjà entendu une histoire aussi triste ?

Sans lui répondre, Mme Berman renifla discrètement.

— Au lieu de se laisser mourir, dit-elle d'une voix amère, elle aurait mieux fait de prendre son arme à ce gredin pour la retourner contre lui.

— Peut-être, répondit Cassie avec un sourire triste. Peut-être est-ce ce qu'Abigail n'arrive pas à se pardonner. Peut-être est-ce pour cela que son âme est sans repos.

Secouant la tête comme pour en chasser les derniers vestiges de l'histoire d'Abigail qui s'y attardaient, Cassie entraîna ses visiteuses à travers le hall.

— Si vous voulez bien vous installer dans le salon, dit-elle, je vais vous y servir le thé que je vous ai promis. Devin, tu en prendras également ?

— Merci, répondit-il en se dirigeant vers la sortie, j'ai à faire. Quand tu en auras terminé avec ces dames, Cassie, rejoins-moi à l'arrière, sous le porche. J'ai quelque chose à te montrer.

Puis, s'inclinant poliment vers les visiteuses :

— Mesdames. Ravi de vous avoir rencontrées. Je vous souhaite un bon séjour à Antietam.

— Quel homme charmant…, murmura Mme Cox, une main sur le cœur, en le regardant refermer discrètement la porte derrière lui. Et si séduisant avec cela ! Irma ? As-tu déjà vu un jeune shérif aussi séduisant ?

Mais sa sœur, bien trop occupée à admirer le grand salon dont Cassie lui vantait déjà les mérites, ne répondit pas. Après un long soupir, Mme Cox haussa les épaules et les rejoignit.

Lorsqu'elle eut raccompagné les deux vieilles dames à leur voiture, Cassie se précipita vers l'arrière de la maison où Devin lui avait demandé de le rejoindre. Elle avait mille choses à faire et son ménage en cours à terminer, mais elle grillait d'impatience de voir quelle surprise il lui réservait.

Souriant, les manches de sa chemise roulées jusqu'aux coudes et une kyrielle d'outils répandus à ses pieds, Devin l'accueillit devant une balancelle de bois dont il achevait le montage.

— J'ai pensé qu'elle serait bien ici.

— Oui, répondit Cassie en hochant la tête. Avec la vue que l'on a d'ici, c'est parfait. Mais j'ignorais que Rafe en voulait une.

— Rafe ? s'étonna-t-il avec un rire facétieux. Il n'a rien à voir là-dedans. C'est moi qui ai eu cette idée. Mais, rassure-toi, je lui ai demandé l'autorisation.

Après avoir poussé le siège pour en tester le balancement, Devin se pencha pour rassembler rapidement ses outils dans leur caisse. Puis, prenant place avec un soupir d'aise sur la balancelle, il tendit le bras vers elle.

— Tu viens l'essayer avec moi ? suggéra-t-il avec un sourire candide. Pour tout te dire, je n'ai fait tout ceci que dans l'espoir de passer un moment à me balancer en ta compagnie par un bel après-midi d'été. Un bon moyen pour moi de chercher à t'embrasser de nouveau.

— Devin.

— Tu disais que cela n'avait pas d'importance.

— C'est vrai, répondit-elle. Cela n'en avait pas. Cela n'en a pas.

Pour le lui prouver, elle vint prendre place à côté de lui, maudissant son cœur de se mettre à battre aussi fort dès qu'ils se trouvaient près l'un de l'autre. Afin de masquer le trouble qui l'agitait, elle demanda :

— Tu ne travailles pas aujourd'hui ?

— C'est mon jour de congé. Enfin il paraît. J'ai quand même dû passer ce matin au collège pour une blague de potaches qui avait mal tourné.

Ils se balancèrent un instant en silence, puis Devin dit en se tournant vers Cassie :

— Tu es très jolie, aujourd'hui…

Avec un rire nerveux, elle brossa son tablier du plat de la main.

— J'étais en train de faire le ménage.

Se poussant sur le siège, Devin se rapprocha insensiblement.

— Vraiment très jolie…, renchérit-il dans un murmure.

— Il fait chaud. Veux-tu que j'aille te chercher une boisson fraîche ?

— Un jour, répondit-il, tu comprendras que je ne viens pas te voir dans l'espoir de me faire offrir du café ou des boissons fraîches.

Ils rirent tous les deux, ce qui permit à Cassie de se détendre et de se laisser aller contre le dossier. Le lent balancement eut tôt fait de la ramener loin, très loin dans son passé, à l'époque où le mot insouciance avait encore un sens pour elle et où les longs jours d'été semblaient ne jamais devoir prendre fin. Sans même qu'elle s'en rende compte, elle laissa échapper un petit rire joyeux.

— Qu'y a-t-il de drôle ? s'enquit Devin sans lui lâcher la main.

— Nous ! s'exclama-t-elle. Assis main dans la main dans une balancelle, comme deux adolescents que nous ne sommes plus.

— Eh bien, si tu avais de nouveau seize ans, voilà quel serait mon prochain geste.

Lâchant la main de Cassie, il étendit les bras pour les poser sur le dossier de bois, puis fit doucement descendre l'un d'eux jusque sur ses épaules.

— Subtil, n'est-ce pas ?

Cassie se mit à rire gaiement.

— Quand j'avais seize ans, dit-elle, ta réputation était si mauvaise que tu devais être bien incapable d'une telle subtilité. Au collège, toutes mes amies rêvaient de te suivre un soir à la vieille carrière de marbre, où l'on disait que tu avais l'habitude d'emmener tes...

Pour la faire taire, Devin n'eut d'autre choix que de l'embrasser. Il le fit très gentiment, très doucement, savourant le léger tremblement de ses lèvres et de tout son corps.

— Au diable la subtilité ! murmura-t-il en laissant glisser ses lèvres jusqu'à son oreille. Tu veux faire un tour à la vieille carrière ?

La voyant sursauter, il éclata de rire et s'empressa de la rassurer.

— Une autre fois peut-être, reprit-il. Pour l'instant, un seul vrai baiser de toi me suffira. A ton tour de m'embrasser, Cassie. Comme si tu avais de nouveau seize ans et que rien d'autre au monde n'avait d'importance.

Les yeux fermés, une expression de studieuse concentration sur le visage, Cassie avança des lèvres tremblantes vers les siennes pour s'efforcer de lui donner satisfaction. Avec n'importe quelle autre femme, Devin aurait pu s'en amuser. Mais venant d'elle, tant de touchante bonne volonté lui chavira le cœur.

— Relax..., murmura-t-il tout contre sa bouche. Débranche ton cerveau une minute. Tu peux faire cela ?

— Je ne...

Mais Cassie n'eut pas à préciser qu'elle ne savait comment s'y prendre. Toute appréhension la quitta quand Devin prit l'initiative. Sa langue, savamment, se mit à caresser la sienne. Ses mains, douces et fortes, coururent le long de ses flancs, effleurant au passage ses seins en émoi. Alors, elle n'eut plus à penser qu'à ce fleuve de plaisir qui semblait soudain lui irriguer tout le corps.

— J'aime la saveur de tes lèvres…, murmura-t-il.

Avec ferveur, il lui baisa le menton, la joue, le front, avant d'en revenir à ses lèvres.

— J'en ai rêvé…, poursuivit-il, le souffle court. Voilà des années que j'en rêve.

A travers le brouillard de sensations délicieuses qui lui embrumait l'esprit, Cassie trouva la force de s'étonner.

— Des années ?

— Tant d'années qu'il me semble avoir envie de toi depuis toujours.

— Mais…

Devin posa un doigt sur ses lèvres pour l'inciter à se taire.

— Mais je n'ai pas su m'y prendre, dit-il avec un sourire triste. Avant que j'aie pu entreprendre quoi que ce soit, tu étais déjà mariée. Le jour où tu as épousé Joe Dolin, je me suis soûlé, parce que je ne savais comment noyer ma douleur autrement. J'ai même pensé à le tuer. Mais quand les vapeurs de l'alcool se sont dissipées, je me suis dit que si tu l'avais épousé ce devait être que tu l'aimais, et que je n'avais pas le droit de t'enlever l'homme dont tu étais amoureuse.

Tant bien que mal, Cassie tenta de le repousser. S'il cessait de l'embrasser, peut-être pourrait-elle recouvrer ses esprits et comprendre ce qu'il était en train de lui dire ? Mais Devin, redoublant d'ardeur, ne semblait décidé à interrompre ni ses confidences ni ses baisers.

— Je t'aimais tant, dit-il d'une voix douloureuse, qu'il me semblait pouvoir en mourir.

Un brusque vent de panique acheva de balayer la trouble langueur qui engourdissait l'esprit de Cassie.

— Devin ! protesta-t-elle. Tu ne dois pas dire cela. Ce n'est pas possible.

Devin se mordit la lèvre. A l'évidence, il en avait trop dit, était allé trop loin, trop vite. Mais à présent qu'il était lancé, il ne pouvait qu'aller jusqu'au bout. Les regrets devraient attendre pour se manifester.

— Cassandra…, murmura-t-il en plongeant son regard dans le sien. Voilà plus de douze ans que je t'aime comme un pauvre fou, sans espoir et sans pouvoir m'en empêcher. Je t'aimais quand je t'ai vue épouser un autre homme, et mettre au monde successivement ses deux enfants. Je t'aimais lorsque je me désespérais de ne pouvoir rien faire pour t'aider à sortir de l'enfer dans lequel il te faisait vivre. Je t'aimais, Cassandra, et je t'aime encore aujourd'hui. Plus que jamais.

D'un bond, Cassie se redressa et croisa nerveusement les bras contre sa poitrine, en un geste de protection qui lui était familier.

— Tu ne dois pas dire ça, répéta-t-elle en le contemplant fixement. Ce n'est pas possible.

— Et toi, s'écria Devin à bout de patience, tu n'as pas à me dire ce que je ressens !

Sans pouvoir s'en empêcher, Cassie fit un bond en arrière, surprise par cette saute d'humeur et effrayée par la colère nettement perceptible dans le ton de sa voix. La voyant faire, Devin grinça des dents et se leva.

— Tu n'as pas à t'enfuir dès que j'élève le ton, gémit-il. Je ne peux pas être ce que je ne suis pas, même pour toi. Je ne suis pas Joe Dolin. Je serais parfaitement incapable de lever la main sur toi.

Pleine de regrets, Cassie laissa retomber ses mains contre ses flancs et baissa les yeux.

— Je le sais bien, murmura-t-elle. Je ne veux pas que tu sois en colère contre moi, Devin. Mais… je ne sais pas quoi te dire.

Devin émit un rire grinçant.

— Alors ne dis rien. Je me charge de parler. Je m'en charge si bien que j'en ai déjà trop dit.

Enfonçant profondément ses mains au fond de ses poches, il se mit à faire les cent pas le long de la terrasse.

— Pourtant, reprit-il, ce qui est dit est dit. Je ne peux pas — je ne veux pas — revenir en arrière. Je t'aime, que cela te plaise ou non. A toi de décider à présent ce que tu comptes faire de cela.

— Ce que je compte faire de quoi ?

Désemparée, Cassie tendit les mains vers lui, avant de les laisser retomber lourdement contre elle.

— Mets-toi à ma place…, supplia-t-elle. Comment imaginer qu'un homme tel que toi ait pu nourrir durant tant d'années des sentiments à mon égard sans jamais rien faire pour les manifester ?

— Ah oui ? rétorqua-t-il. Et qu'étais-je donc censé faire, selon toi ? Tu étais mariée ! Tu avais fait ton choix, et c'est un autre que tu avais choisi.

— Mais je… J'ignorais que j'avais le choix.

— Par ma faute, reconnut-il d'une voix chargée d'amertume. Et voilà qu'aujourd'hui, je commets une autre erreur en me confiant à toi. Parce que tu n'es pas prête. Ou parce que tu ne veux pas être prête. Ou tout simplement parce que tu ne veux pas de moi.

— Je ne…

Désemparée, Cassie posa les mains contre ses joues,

dans l'espoir d'apaiser le feu qui les embrasait. Pour être sincère, elle ne savait laquelle de ces explications était la bonne. Elle ne savait plus que croire, que penser, que dire. En quelques mots, Devin venait de mettre à bas toutes ses certitudes.

— Je ne sais que te dire, reconnut-elle honnêtement. Je te pensais mon ami. Je voyais en toi… le shérif, à qui je dois tant, envers qui je me sens tellement reconnaissante et…

— Comment oses-tu me dire ça à moi !

Trop furieux pour se contenir plus longtemps, Devin avait hurlé ces mots. Face à lui, Cassie avait brusquement pâli. Les traits figés par l'angoisse, elle leva une main à sa bouche pour s'empêcher de pleurer.

— Mais bon sang ! s'emporta-t-il. Ce n'est pas de ta reconnaissance que je veux ! Je ne veux pas être qu'un chevalier servant pour toi. Je ne mérite pas cela.

— Je ne voulais pas dire cela. Devin, je suis désolée. Je suis tellement désolée.

— Je me fiche de tes regrets ! Je me fiche de ta gratitude. C'est à mon badge, pas à moi, que tu dois être reconnaissante d'avoir mis sous les verrous le fils de pute qui t'a prise pour un punching-ball pendant des années. Parce que s'il n'avait tenu qu'à moi, je l'aurais brisé en deux ! Et si tu crois que je suis le brave gars bien serviable qui ne pense qu'à rendre service en venant régulièrement prendre de tes nouvelles, détrompe-toi. Parce que chaque fois que je te vois, je n'ai qu'une envie c'est de…

Dardant sur elle un regard de braise, Devin se mordit la lèvre au sang pour s'empêcher d'en dire plus.

— Mais cela, reprit-il avec un goût de sang dans la bouche, tu n'as pas envie de le savoir. Non, tu n'en as pas envie. Tout ce qui t'importe, c'est que surtout je n'élève pas la voix, que je garde mes sentiments pour moi, et mes mains bien au fond de mes poches !

— Non, protesta Cassie en secouant la tête. Ce n'est pas vrai.

— En fait, l'interrompit-il, je comprends à présent pourquoi tu trouves sans importance que je t'embrasse. Tu es si reconnaissante à mon égard que c'est bien le moins que tu puisses faire, n'est-ce pas ?

La faible protestation de Cassie parut vaine à ses propres oreilles.

— Tu ne peux pas dire ça, dit-elle dans un souffle. Ce n'est pas juste.

— Je suis fatigué d'être juste ! Je suis fatigué de t'attendre. Je suis fatigué d'être tellement amoureux de toi que même ton indifférence m'est douce.

Sans même un au revoir, Devin se retourna d'un bloc et s'éloigna d'elle à grands pas. Il avait presque disparu au coin de la maison avant qu'elle ait pu trouver la force de se lancer à sa poursuite.

— Devin ! s'écria-t-elle lorsqu'elle l'eut rejoint. S'il te plaît, ne t'en va pas ainsi. Laisse-moi…

Comme électrisé par le contact de sa main sur son épaule, Devin sursauta et fit volte-face.

— Laisse-moi tranquille, Cass. Je t'en prie, ne m'oblige pas à être désagréable avec toi.

Cassie connaissait ce regard. C'était le regard menaçant d'un homme furieux, et elle avait toutes les raisons de le redouter. Son estomac se mit à protester violemment, mais elle s'obligea à se planter solidement devant lui, les bras croisés. Jamais il ne saurait ce que ce minuscule acte de bravoure lui avait coûté, mais elle lui devait au moins cela.

— Tu ne m'as jamais rien dit..., commença-t-elle, luttant pour parler d'une voix assurée et égale. Tu ne m'as jamais rien laissé deviner. Et à présent que tu l'as fait, tu ne me laisses pas le temps d'y réfléchir pour savoir que faire. Tu ne veux pas entendre que je suis désolée, que je te suis reconnaissante, que je suis effrayée. Et pourtant je le suis. Et je n'y peux rien. Je ne peux plus me permettre de me conformer à ce qu'un homme attend de moi sans réagir.

— Cela me semble clair, répondit Devin. Mais ce qui ne l'est pas pour toi, c'est que je t'aime telle que tu es, et que je ne cherche en rien à te changer. Le jour où tu auras compris que tu n'as rien à craindre de moi, tu sais où me trouver.

Cassie ouvrit la bouche pour protester, puis la referma en le voyant de nouveau lui tourner le dos pour rejoindre sa voiture. Il n'y avait rien d'autre à dire, rien d'autre à faire pour le retenir. Dans son regard, avant qu'il ne se détourne d'elle, elle avait pu deviner une douleur si intense et si poignante qu'elle lui faisait honte. Car cette douleur, c'était elle, même sans l'avoir voulu, qui la lui avait infligée.

Fermement décidée à ne pas passer le reste de la journée à broyer du noir ou à pleurer, Cassie s'était immergée dans la routine rassurante des tâches quotidiennes. A présent que le week-end chargé du Memorial Day était passé, il y avait mille choses à faire dans la maison. De plus, il lui était tellement plus facile en travaillant de ne pas trop se laisser envahir par la tristesse et les regrets.

De toutes les suites que comptait la Résidence, la suite nuptiale — l'ancienne chambre d'Abigail — était sa préférée. Mais aujourd'hui, tout en passant méthodiquement l'aspirateur, elle ne prêtait qu'une attention distraite au papier peint à motif de boutons de rose, au somptueux lit à baldaquin, ou aux rideaux de mousseline nimbés de lumière.

« Il faudra penser à cueillir quelques fleurs », songea-t-elle. Même lorsque la chambre restait inoccupée, elle s'arrangeait pour qu'il y eût toujours un bouquet dans le grand vase chinois posé sur un guéridon près de la fenêtre. Tout à ses propres soucis, elle les avait oubliées ce matin. Dans ce cas, pourquoi une prenante odeur de roses embaumait-elle la pièce ?

Avec la sensation que la température venait de chuter brutalement, Cassie sentit un frisson lui remonter la colonne vertébrale. Le vacarme de l'aspirateur sembla s'estomper à ses oreilles, jusqu'à ne plus être qu'un murmure discret. Soudain consciente d'une présence derrière elle, elle fit volte-face pour découvrir Devin sur le seuil de la pièce.

Un sentiment de profond soulagement et de reconnaissance l'envahit. Elle amorçait un pas dans sa direction lorsqu'elle comprit que l'homme qui se tenait devant elle ne pouvait pas être Devin. Comme lui, il était grand, brun et séduisant, mais son visage ne lui ressemblait en rien. Et si l'inconnu portait lui aussi une étoile au revers, ses vêtements semblaient sortis d'une vieille photo d'archives ou d'un musée.

Figée sur place, la main crispée sur le tuyau de l'aspirateur, Cassie perçut une voix d'homme qui se frayait un chemin dans son esprit.

— Abigail…, disait la voix inconnue. Je t'en prie, partons d'ici. Cette maison n'est qu'une prison pour toi. Et il y a longtemps que tu n'aimes plus cet homme.

— Tu te trompes, s'entendit-elle répondre en pensée. Je ne l'ai jamais aimé. Et à présent, je suis même sûre de le détester.

— Je t'aime, Abby. Si tu savais comme je t'aime. Je pourrais te rendre heureuse, si seulement tu le voulais. Nous pourrions refaire notre vie loin d'ici, loin de lui. Cela fait déjà si longtemps que j'attends.

— Comment pourrais-je m'y résoudre ? Ce serait une telle honte pour ma famille. Je lui ai juré obéissance et fidélité, ce sont des vœux que l'on ne peut briser. Toi-même, tu ne peux abandonner ton poste, ta ville, tes responsabilités.

— Il n'y a rien que je ne pourrais faire pour toi. Je tuerais pour toi. Je mourrais pour toi. Pour l'amour de Dieu, Abby, laisse-moi une toute petite chance de te prouver à quel point je t'aime. Toutes ces années, je me suis tenu dans l'ombre, sachant que tu n'étais pas heureuse avec lui, sachant que tu étais hors de portée. Aujourd'hui je n'en peux plus. Je n'en peux plus de m'asseoir sagement dans le salon auprès de toi, comme si je ne t'aimais pas plus que tout au monde, comme si je n'avais pas besoin de toi comme de l'air que je respire. Je n'en peux plus de n'être que ton fidèle ami.

— Tu sais combien je t'estime, combien je te suis reconnaissante.

— Dis-moi que tu m'aimes.

— Je ne peux pas. Je ne peux pas te le dire. Cela aussi il l'a tué en moi.

— Je t'en prie, suis-moi. Oublie le passé et laisse renaître l'amour en toi.

Avec une soudaineté presque douloureuse qui la fit sursauter, l'aspirateur rugit de nouveau à pleine puissance aux oreilles de Cassie. Il n'y avait plus rien dans la pièce que la porte ouverte, le papier peint pailleté de soleil, et cette persistante et si poignante odeur de roses. Sentant ses jambes se dérober sous elle, elle lâcha l'aspirateur et se laissa tomber sur le sol où elle demeura assise, hébétée, ne sachant que faire ni penser. Que venait-il de se passer ? Avait-elle été victime d'un rêve éveillé, d'une hallucination ?

Le souffle court, elle était en nage et tremblait de tous ses membres. Sans pouvoir quitter des yeux la porte ouverte, elle plaça une main sur sa poitrine pour découvrir que son cœur s'y démenait comme un oiseau affolé dans une cage. Précautionneusement, après avoir fait taire l'aspirateur, elle s'allongea sur le tapis pour y prendre quelques minutes de repos dont elle ne pouvait faire l'économie.

Pourtant, ce n'était pas la première fois qu'elle avait à côtoyer les fantômes de la maison Barlow. Elle ne comptait plus les occasions où elle avait pu les entendre, les sentir, deviner leur présence autour d'elle. Mais ce qu'elle venait de vivre était d'une tout autre nature. Pour la première fois, elle venait de voir l'un des hôtes éternels de ces lieux. Ce n'était ni John Barlow, ni le pauvre soldat qu'il avait assassiné. A l'évidence, ce ne pouvait être que l'homme dont Abigail avait été secrètement amoureuse.

Un frisson lui secoua les épaules. Qui cet homme

pouvait-il être — ou plus exactement, qui pouvait-il avoir été ? Sans doute ne le saurait-elle jamais. Elle avait été frappée par la noblesse de son visage, malgré la tristesse qui en alourdissait les traits. Pour plaider sa cause, il avait parlé d'une voix forte et bien timbrée. Pourquoi donc Abigail avait-elle refusé de le suivre, de saisir cette main tendue vers elle alors qu'elle s'étiolait dans ce désert mortel qu'était sa vie ?

Vaguement mal à l'aise du tour pris par ses pensées, Cassie s'obligea à respirer profondément. Abigail avait été amoureuse de cet homme. De cela, elle était sûre. Les émotions qui avaient déferlé dans la pièce le temps de l'apparition avaient été si violentes qu'il lui semblait pouvoir encore en ressentir les effets. A l'évidence, il y avait eu de l'amour entre ces deux êtres. Un amour fort et réciproque, un amour sans espoir…

Etait-ce pour cela qu'Abigail Barlow ne pouvait trouver le repos ? Parce qu'elle n'avait pas eu le courage de suivre le seul homme qui l'eût jamais aimée comme elle l'aimait ? Par couardise peut-être, par manque de clairvoyance, sûrement, elle avait raté la seule occasion qui s'offrait à elle d'enrayer la fatalité de son destin. Et ce faisant, elle avait brisé le cœur de celui qui avait eu le courage de remettre sa vie entre ses mains.

Frappée par un éclair de lucidité, Cassie se redressa d'un bond, le cœur battant et les yeux écarquillés. Tout comme Abigail autrefois, ne venait-elle pas elle aussi de briser le cœur de Devin ? Tout ce que Devin lui avait demandé, c'était son affection, un signe que l'amour qu'il lui portait n'était pas vain et sans retour. Tétanisée par ce qu'il venait de lui révéler, elle n'avait pas su quant à elle lui dire à quel point il était important pour elle. A quel point... elle l'aimait aussi.

Submergée par la honte, Cassie s'empressa de se relever et essuya son visage moite. Il lui fallait trouver un moyen de se racheter, de sauver ce qui pouvait l'être encore. Après tout, rien n'était perdu si elle trouvait le courage de renoncer à toute lâcheté. Contrairement à celui d'Abigail, son futur à elle n'était pas écrit. Et si son triste exemple pouvait éviter à Cassie de commettre la même erreur, peut-être cela pourrait-il apaiser quelque peu l'inconsolable chagrin d'Abigail Barlow.

Chapitre 7

Depuis dix minutes, Devin se disait qu'il ferait mieux d'abandonner sa lecture, pour tenter d'aller chercher l'oubli entre les draps du lit de camp installé dans la réserve. Pourtant, il s'obstinait à demeurer assis à son bureau, le nez plongé dans un livre dont il relisait pour la troisième fois sans rien en comprendre le même paragraphe. Le talent de l'auteur n'était pas à mettre en cause. Tout simplement, il lui était impossible à cet instant de fixer son attention.

Pour une fois, il n'avait rien ni personne sous la main pour se passer les nerfs. Aussi restait-il coincé là, à se ronger les sangs. Il avait bien envisagé un instant de pousser jusqu'à la ferme pour chercher querelle à Shane, mais cela aurait été facile. Aussi avait-il fini par y renoncer. Et par se résoudre à rester dans le silence de son bureau déserté, la tête ailleurs et le nez dans un livre, même si cela devait le faire périr d'ennui.

En cette veille de week-end, il était déjà plus de 22 heures, ce qui rendait improbable les appels téléphoniques susceptibles de pimenter un peu la situation. Il n'avait rien à faire à son poste, mais il aimait la solitude, la douce quiétude de son bureau la nuit. Il n'avait même pas pris la peine d'allumer la radio, comme il le faisait parfois, pour se donner un peu de compagnie. La seule source de lumière était la lampe de bureau à col de cygne qui éclairait le livre posé à plat devant lui. Ce livre qu'il ne lisait pas, mais qu'il ne pouvait se résoudre à refermer.

Un instant, Devin eut l'idée d'aller se servir un café, mais même ce minuscule effort lui paraissait insurmontable. Il ne se rappelait pas, au cours de son existence, avoir jamais été simultanément aussi en colère et aussi fatigué. Habituellement, la colère avait le don de le survolter. Pourtant, ce soir, il se sentait vidé. Sans doute était-ce lié au fait qu'il dirigeait cette colère contre lui-même, même s'il en gardait en réserve une bonne dose contre Cassie.

Après tout, songeait-il amèrement, sa réaction était très prévisible. Quoi de plus naturel pour un homme rejeté par une femme que de retourner sa colère contre lui ?

Il lui était arrivé de dire à d'autres femmes qu'il les aimait. Cela n'avait pas été de sa part un mensonge, car il avait sincèrement essayé de donner son amour à d'autres que Cassie. Il y avait consacré du temps et de l'énergie, à diverses périodes de sa vie, pour un résultat à peu près nul. S'il n'avait aucune intention de passer le reste de sa vie à soupirer après un amour impossible, il n'était pas non plus décidé à regretter un jour d'avoir fait par dépit le mauvais choix.

D'un geste impatient, Devin repoussa son livre. Posant les pieds sur le bureau, croisant les mains sur le ventre, il se laissa aller en arrière dans sa chaise et ferma les yeux en s'intimant l'ordre de penser à autre chose. A bien y réfléchir, ce n'était pas les sujets de réflexion qui manquaient. Mais soudain, le rêve fondit sur lui sans qu'il ait pris conscience d'avoir sombré dans le sommeil. Par un raccourci surprenant, son inconscient était arrivé à la porte de la chambre d'une femme. Cassie ? Non, ce n'était pas la chambre de Cassie. Celle d'Abigail plutôt. L'amour et le désir déchiraient le cœur et les tripes de l'homme qu'il était dans ce rêve et qui n'était pas lui. Comment pouvait-elle ne pas comprendre qu'elle avait besoin de lui autant qu'il avait besoin d'elle ? Combien de temps encore allait-elle rester assise ainsi près de sa fenêtre, les yeux hantés par une tristesse sans fond et les mains occupées à un ouvrage jamais terminé ?

Apparemment, il n'y avait rien qu'il pût dire pour la convaincre de le suivre, de l'autoriser à l'aimer. Pourtant, il lui semblait n'être né que pour cela. Comment pouvait-elle être assez cruelle pour le laisser lanterner ainsi ? Et assez suicidaire pour se cloîtrer dans cette lugubre demeure dans laquelle planait sans cesse l'ombre redoutée du mari ? A cette idée, la colère vint se mêler dans son cœur à l'amour, au désir, pour y former un curieux et inconfortable mélange. Il en avait assez de venir la supplier. Il était fatigué de rester là, tournant son chapeau entre ses doigts, dans l'attente de son bon vouloir.

— C'est la dernière fois que je te le demande…, lui dit-il en rêve, alors qu'Abby ne faisait comme à son habitude que poser sur lui en silence son beau regard triste. Je ne viendrai plus t'importuner. Je ne te laisserai plus me briser le cœur, sans rien faire, sans rien dire. Si tu refuses encore de me suivre, je quitterai Antietam sans toi. Jamais je ne pourrai continuer à faire régner la loi et l'ordre dans cette ville avec le cœur ravagé de te savoir à portée de main et pourtant inaccessible. S'il doit en être ainsi, je ramasserai les morceaux de ce qui reste de ma vie, et je partirai, pour voir s'il m'est possible ailleurs de t'oublier et de continuer à vivre.

Mais, une fois de plus, Abby ne dit rien. Et il sut en

descendant le couloir, puis le grand escalier, que par ces mots s'achevait leur histoire. Les sanglots d'Abigail, poignants et étouffés, lui parvinrent alors qu'il ouvrait la porte. Ce fut la dernière fois qu'elle lui brisa le cœur.

Cassie restait debout devant le bureau de Devin, indécise, ne sachant que faire. Nerveusement, elle faisait jouer la lanière de son sac entre ses doigts. Le trouver assoupi contrecarrait grandement ses plans. Devait-elle le laisser dormir et s'en aller discrètement, comme elle était venue, ou pouvait-elle se permettre de le réveiller pour lui dire ce qu'elle devait lui dire ?

Même dans le sommeil, il n'y avait rien de paisible sur son visage. Eclairés crûment par la lumière chiche de la lampe de bureau, ses traits paraissaient tendus. Saurait-elle un jour apaiser cette tension qui sous des dehors tranquilles semblait ne jamais le quitter ? Pourrait-elle ramener sur ce visage un sourire véritablement insouciant ?

Sans un battement de paupières, les yeux de Devin s'ouvrirent soudain tout grands, la faisant sursauter comme une biche aux abois.

— Je… je suis désolée, balbutia-t-elle. Je ne voulais pas te réveiller.

— Je ne dormais pas.

Ou du moins, n'en avait-il pas eu l'impression… L'esprit encore embrumé, Devin sentait toujours sur lui cet entêtant parfum de roses. L'espace d'un instant, il crut même que Cassie portait la même robe d'intérieur de soie bleue, au col de dentelle, que la dame du rêve. Mais bien sûr, ce n'était pas le cas. Cassie était habillée, comme à son habitude, d'un confortable pantalon grège et d'un chemisier de même couleur.

Peinant à recouvrer ses esprits, Devin passa une main dans ses cheveux et reposa précipitamment ses pieds sur le sol.

— Je réfléchissais, marmonna-t-il. A quelques problèmes urgents concernant la ville.

— Si tu es occupé, je pourrais…

— Que viens-tu faire ici, Cassie ?

— Je…

Il était encore en colère. Cela paraissait évident. Bien sûr, Cassie s'y était attendue, mais il lui fallut puiser dans ses réserves de courage pour poursuivre :

— J'avais des choses à te dire.

Comme s'il s'agissait d'une entrevue officielle, Devin se redressa et croisa les doigts sur son bureau.

— Très bien, dit-il, le visage impassible. Je t'écoute.

— Je sais que je t'ai fait de la peine, reprit Cassie après un soupir. Tu dois être furieux contre moi. Je ne suis pas venue m'excuser, car j'ai bien compris que cela t'exaspère quand je le fais.

— Voilà un bon début, commenta-t-il sur un ton acerbe. Alors tu viens peut-être me préparer un peu de café ?

En un geste réflexe, elle se dirigeait déjà vers la cafetière lorsqu'elle se rendit compte de ce qu'elle était en train de faire. Avec un nouveau soupir, elle se retourna vers Devin, qui la contemplait d'un air goguenard.

— Non, répondit-elle fermement. Je ne suis pas venue pour cela.

— De mieux en mieux.

— Je suis habituée à servir les gens, dit-elle en guise de justification. Chez moi, c'est presque une seconde nature.

A présent, songeait-elle avec étonnement, elle était irritée. Pour elle, c'était un sentiment tout à fait neuf, mais qui n'avait rien de désagréable.

— Si cela t'ennuie, reprit-elle, je n'y peux rien. C'est peut-être ainsi que je m'arrange pour mériter l'affection de ceux qui m'entourent. A moins que ce ne soit un moyen pour moi de me rendre utile.

— Je n'ai pas envie que tu te sentes obligée de me servir pour mériter mon affection.

Devin percevait parfaitement le changement d'attitude de Cassie. Elle était irritée, peut-être même en colère, et cela conférait à son regard une nuance inédite, qui le fascinait.

— Et pourtant j'en ressens la nécessité, poursuivit Cassie. Et je me sens redevable à ton égard — attends un peu, avant de crier !

Impressionné par sa détermination, Devin ravala ses protestations.

— Pourtant, maugréa-t-il, tu ne cesses de m'en fournir l'occasion.

— Au moins, répondit-elle, laisse-moi finir avant de protester.

En fait, s'expliquer avec Devin n'était pas aussi difficile que Cassie se l'était imaginé. C'était un peu comme d'avoir à mettre les choses au point avec les enfants. Il suffisait de se montrer honnête, juste, ferme, et de ne pas se laisser déborder.

— J'ai d'excellentes raisons de me sentir reconnaissante vis-à-vis de toi, poursuivit-elle. Mais cela ne signifie pas que je n'éprouve pas également d'autres sentiments.

— Lesquels ?

L'instant fatidique était arrivé. Parce qu'elle n'avait plus droit à l'erreur, Cassie ne se laissa pas le temps d'hésiter.

— Je ne sais pas exactement. Il me semble n'avoir pas eu de sentiments véritables pour un homme depuis… en fait, peut-être que je n'en ai même jamais ressenti. Mais tu dois savoir que je tiens plus que tout au monde à ton amitié et à ton affection. A part mes enfants, il n'est personne au monde qui m'importe plus que toi, Devin. Ta présence près de moi.

Cassie sentit qu'elle allait se mettre à bafouiller. Maudissant son inguérissable timidité, elle prit une profonde inspiration avant de se jeter à l'eau, sans cesser de fixer Devin droit dans les yeux.

— J'ai adoré ce moment partagé avec toi, sur la balancelle, avant que tu te mettes en colère. C'était… si troublant, si délicieux.

Devin avait beau tenter de résister, rien n'y faisait. En quelques mots, quelques regards, Cassie avait réduit à néant la colère qui l'habitait. Il lui suffisait de rester là, debout devant lui, ferme mais repentante, touchante dans sa volonté de rétablir leur relation, pour qu'aussitôt tout fût oublié, pardonné, effacé.

— D'accord, Cassie…, dit-il d'une voix radoucie. Et si nous…

— Je suis venue te voir pour que nous fassions l'amour.

Comme dans un dessin animé, Devin eut l'impression de sentir sa mâchoire inférieure se décrocher et toucher le sol. Le premier effet de surprise passé, il se leva tel un fauve subitement intéressé par une proie et contourna le bureau pour la rejoindre. La voyant se figer à son approche, il réprima un sourire en songeant que, derrière sa bravoure de façade, son état d'esprit n'avait pas changé autant qu'elle voulait bien le faire croire.

— Qu'as-tu dit ? demanda-t-il lorsqu'il fut face à elle.

— J'ai dit, répéta bravement Cassie, que je suis ici pour que nous fassions l'amour tous les deux.

— C'est bien ce qu'il m'avait semblé entendre. Est-ce tout ce que tu as trouvé pour faire amende honorable ? Un moyen radical pour t'excuser et sauvegarder notre amitié ?

— N… Non !

Cassie se sentit rougir jusqu'à la racine des cheveux et ne put s'empêcher de baisser les yeux. Elle était en train de tout faire rater. Devin avait l'air bien plus intrigué qu'excité par la perspective qu'elle venait de lui offrir.

— Oui, peut-être, corrigea-t-elle. Je ne suis pas sûre. Je suis sûre au moins que c'est ce dont tu as envie. N'est-ce pas ?

Sa voix s'était envolée dans un soupçon d'inquiétude sur ces derniers mots.

— Ce qui m'intéresse, répondit Devin avec un regard dur, c'est de savoir ce dont toi tu as envie.

— Mais… Je viens de te le dire.

Seigneur, ne venait-elle pas à l'instant de répéter pour lui ces mots qui lui avaient tant coûté ? Que cherchait-il ? Sa fureur était-elle si grande qu'elle le poussait à l'humilier ?

— Ecoute, dit-elle en s'efforçant de garder son calme. J'ai fait le premier pas. Et je te prie de croire que cela n'a pas été facile pour moi. J'ai dû faire appel à Ed, pour garder les enfants et s'occuper des clients à la Résidence. Tu la connais, elle a tout de suite compris que je venais te voir pour…

Renonçant à poursuivre, elle ferma brièvement les yeux et conclut :

— Je t'en prie, Dev. Ne me rends pas les choses plus difficiles qu'elles ne le sont déjà.

Quelques instants, le visage et le regard graves, Devin sembla méditer ces paroles.

— Cassie…, dit-il enfin. Je suis touché que tu sois venue et je t'en remercie. Mais si tu penses que tu dois en arriver là pour faire la paix avec moi, je dois te dire que…

Décidée à tenter le tout pour le tout, Cassie prit le visage de Devin dans ses mains et se haussa sur la pointe des pieds pour unir ses lèvres aux siennes.

— Et à présent, murmura Devin lorsque le baiser prit fin, tu t'attends sans doute à ce que je te saute dessus comme une bête en rut.

Cassie laissa fuser un soupir découragé et s'éloigna pour déposer son sac sur une chaise.

— On peut dire que je ne suis pas douée à ce jeu-là, lança-t-elle d'une voix excédée. D'ailleurs, je ne l'ai jamais été.

— De quel jeu parles-tu ? s'étonna Devin.

— Du sexe bien sûr ! De quoi d'autre est-il question depuis tout à l'heure ?

Eberlué, Devin regarda Cassie, à présent déchaînée, déambuler de long en large dans la pièce, les mains derrière le dos, en lui tenant un discours qu'il n'aurait jamais imaginé entendre un jour dans sa bouche.

— Je ne sais pas quels sont tes désirs, poursuivit-elle sur sa lancée. Ni même comment les satisfaire. Tu n'as qu'à faire avec moi comme tu fais d'habitude. Ce n'est pas que je n'en ai pas envie, ou que je n'aimerai pas ça. Au contraire. Je suis sûre que j'aimerai. Après tout, ce n'est pas ta faute si je suis maladroite et coincée et si je n'ai pas d'orgasmes.

Cassie se figea au milieu du bureau, une main plaquée sur sa bouche et les yeux agrandis d'effroi. Devin, à l'autre bout de la pièce, la dévisageait sans paraître comprendre. Quelqu'un d'autre avait dû dire cela, songeait-elle en balayant la pièce du regard pour fuir celui de Devin. Il n'y avait pas d'autre explication. Mais même si elle n'avait fait que répéter ce que Joe ne cessait de lui marteler, il n'y avait personne pour assumer ces paroles à sa place. Pour survivre à la honte qui s'abattait sur elle, elle n'eut d'autre choix que de poursuivre :

— Ce que je veux dire, c'est que je veux faire l'amour avec toi. Je sais que ce sera une expérience agréable, parce que ça l'est déjà quand tu m'embrasses. Aussi, je pense que le reste le sera également. Et si tu pouvais simplement faire ou dire enfin quelque chose, cela suffirait sans doute à me tirer de cet effroyable embarras.

Devin la regarda se tordre nerveusement les mains sans répondre. Que diable était-il censé faire ? Il connaissait Cassie depuis toujours. Il pensait tout connaître d'elle. Il savait qu'elle était mère de deux enfants, qu'elle avait été mariée pendant plus de dix ans. Et pourtant, le discours hallucinant qu'elle avait le courage de lui tenir ne prouvait-il pas qu'elle était bien plus proche de la virginité qu'aucune des femmes qu'il avait connues ? Comment, dans ces conditions, ne se serait-il pas senti timide ou effrayé ?

Il s'apprêtait à lui dire gentiment qu'ils devaient prendre leur temps, ne pas se précipiter, lorsque au dernier moment il se ravisa. A l'évidence, Cassie avait pris des risques, s'était engagée dans cette démarche d'une manière qui l'impliquait tout entière et qui paraissait vitale pour elle.

Sans doute interpréterait-elle comme une rebuffade ce qui n'était pour lui que de la prudence.

— Je pourrai faire ce que je veux ? demanda-t-il enfin.

Cassie eut un sourire radieux.

— Oui.

En dépit de ses bonnes résolutions, Devin sentit son sang ne faire qu'un tour dans ses veines à cet acquiescement. Alors qu'il attendait cet instant depuis douze ans, comment aurait-il pu en être autrement ? Pourtant, il le savait, il lui faudrait ne pas lâcher la bride à ses instincts s'il voulait éviter que le paradis promis ne se transforme en enfer.

— Tout ce que je te dirai, reprit-il, tu le feras ?

— Oui.

Cassie se sentait soulagée au-delà de toute expression. En définitive, tout cela était tellement simple — le laisser faire ce qu'il voulait, faire ce qu'il dirait.

Lentement, Devin la rejoignit au centre de la pièce, où elle était restée figée, telle une marchandise offerte à l'étal d'un marchand.

— Pour commencer, murmura-t-il en lui posant les mains sur les épaules, il y a quelque chose que tu dois me promettre.

— Quoi donc ?

— Je veux que tu me dises que tu n'as pas peur de moi, que tu sais que je ne te veux aucun mal, et que je ne t'en ferai pas.

— Je le sais. Je n'ai pas peur.

— Je veux aussi, reprit Devin, que tu me promettes autre chose.

Tout en douceur, il porta ses lèvres à la rencontre des siennes pour un baiser qui la fit frissonner de bonheur.

— Très bien…, lâcha-t-elle dans un soupir.

— Je veux que tu m'arrêtes si je fais quelque chose qui te blesse ou qui te déplaît.

— Promis.

Puisque tout était dit, Devin lui prit la main pour l'entraîner vers la pièce étroite, à l'arrière du bâtiment, qui lui servait tout à la fois de réfectoire et de chambre à coucher. Sur le pas de la porte, il hésita. Dans la semi-pénombre qui le baignait, le réduit aux murs tapissés d'étagères métalliques encombrées n'avait à offrir pour tout ameublement qu'une petite table, une chaise, et un lit de camp étroit.

— Nous devrions aller ailleurs, lui glissa-t-il à l'oreille.

— Surtout pas ! protesta Cassie.

Vu l'état d'attente anxieuse dans lequel elle se trouvait, cela risquait bien, si ce n'était pas maintenant, de n'être jamais. De toute façon, dans le noir et les yeux fermés, que lui importait le décor ?

— Ce sera très bien ici…, tenta-t-elle de le rassurer.

— Nous allons faire en sorte que cela soit mieux que bien.

Du tiroir de la table, Devin tira l'une des bougies d'urgence du poste, qu'il alluma et qu'il colla dans un cendrier.

Puis, se retournant vers elle, il la contempla quelques instants, la gorge nouée par le désir. Dans la faible lumière dorée de la bougie, elle était belle, incroyablement sexy, et terrifiée d'être à deux doigts de se donner à lui. Avec un écrasant sentiment de responsabilité, Devin songea que ce serait à lui de transformer en cadeau ce qu'elle vivait comme un sacrifice.

— Je t'aime, Cassie.

Pour lui, cela n'avait pas d'importance qu'elle ne le crût pas vraiment. Elle finirait par le croire. Il ferait en sorte de le lui prouver. Après s'être approché d'elle à pas de velours, comme pour l'apprivoiser, il l'embrassa de nouveau, lentement, profondément, de tout son cœur. Si bien qu'au bout d'un moment, il n'y eut plus pour lui que ce baiser, la rencontre magique de leurs lèvres, le goût de sa langue mêlée à la sienne, la joie merveilleuse de la sentir s'abandonner contre lui.

Puis, ce baiser qui avait anéanti ses dernières défenses prit fin et Cassie entendit Devin lui murmurer à l'oreille :

— Serre-moi contre toi.

Docile et désireuse de bien faire, elle s'empressa de refermer ses bras autour de sa taille, surprise de sentir ce corps si grand, si ferme, si troublant, épouser le sien à merveille, comme s'ils étaient faits depuis toujours l'un pour l'autre. Après n'avoir vu en Devin, durant tant d'années, qu'un fidèle ami, elle éprouvait pourtant un certain malaise à se retrouver ainsi dans ses bras. Pour le combattre, elle s'efforça de lui caresser le dos pendant que sur ses lèvres les siennes reprenaient leur ballet affolant.

— Je veux te contempler…, lâcha Devin dans un murmure.

Délaissant sa bouche, il parcourut sa gorge de petits baisers qui l'amenèrent tout naturellement à entreprendre de déboutonner son chemisier. Dans son dos, Devin sentit les doigts de Cassie se crisper mais il n'en tint pas compte. Sa timidité n'était plus un obstacle pour lui. Elle était un piment.

— Ton visage est tellement troublant…, reprit-il sans cesser de la dévorer des yeux. Ces yeux couleur de brouillard, et cette bouche tellement sexy.

Cassie sursauta, mais parvint à ne pas protester lorsque Devin, d'un geste précautionneux, écarta les pans de son chemisier. Personne ne lui avait jamais dit qu'elle était sexy. Elle avait encore un peu de mal à y croire mais, elle devait bien l'avouer, ce compliment inattendu la remplissait de bonheur. Puis elle vit son regard glisser lentement jusqu'à ses seins, et le murmure approbateur qui lui échappa la fit frissonner.

Tendrement, Devin plaça ses mains contre les délicats globes de chair. Avec une infinie prudence, il se mit à les caresser, comme s'ils eussent été d'un verre très fragile, susceptibles de se fendre au moindre choc.

— Merveilleux.

— Je sais qu'ils sont petits.

— Ils sont parfaits.

Pour l'en convaincre, Devin fixa de nouveau son regard au sien.

— Ils sont tout simplement merveilleux.

Sans pouvoir se départir d'un certain sentiment de triomphe, il vit les paupières de Cassie battre follement tandis que du bout des pouces il caressait ses mamelons. Et lorsqu'ils commencèrent à durcir, les yeux gris de Cassie devinrent presque noirs tandis qu'un hoquet de surprise lui échappait.

Avec un regain d'inquiétude, fortifié par les sensations inconnues qui s'emparaient de son corps, Cassie se demandait où Devin voulait en venir. Pourquoi ne finissait-il pas de la débarrasser de ses vêtements ? Pourquoi ne l'allongeait-il pas sur le lit pour lui faire ce qu'il avait à faire ? Incapable de résister plus longtemps aux ondes de plaisir qui irradiaient depuis la pointe de ses seins, elle rejeta la tête en arrière et entendit, au comble de la confusion, un gémissement rauque s'échapper de ses lèvres.

— Es-tu vraiment obligée de fermer les yeux ? demanda Devin. J'aime les voir s'assombrir quand je te caresse. J'aime te caresser, Cassie.

C'était la stricte vérité, et Devin découvrait avec soulagement combien il lui était facile, tant la peau de Cassie était chaude et douce, de se contenter dans un premier temps de ces caresses. Franchissant un palier supplémentaire, il laissa sa bouche remplacer ses mains sur sa poitrine.

— Devin, supplia-t-elle. Arrête. Je… Je n'arrive plus à respirer.

— Tu respires fort bien, la rassura-t-il avec un petit rire. Je peux même sentir ton cœur battre sous mes lèvres.

Pris d'une soudaine inspiration, Devin se redressa et se débarrassa de sa chemise sans la déboutonner, en la faisant promptement glisser par-dessus ses épaules.

— Tu veux sentir le mien ? proposa-t-il avec une feinte candeur.

La gorge soudain sèche, Cassie fut bien incapable de répondre. La lueur dorée de la bougie semblait sculpter le moindre relief sur le torse de Devin. Partout où portait son regard, ce n'était que pièges tentateurs de muscles fermes et de peau hâlée. Comment ne s'était-elle jamais rendu compte qu'il avait la beauté de ces modèles qui posent dans les magazines, ou de ces acteurs que l'on voit au cinéma ? Pourtant, ce n'était pas la première fois qu'elle le voyait torse nu. Mais peut-être ne l'avait-elle jamais vraiment regardé jusqu'à présent…

Avec un sourire timide, elle tendit le bras pour poser une main tremblante sur sa poitrine.

— Il bat fort, dit-elle. Tu es prêt ?

— Oh ! Cassie.

Luttant contre la faim qui lui tenaillait les tripes, Devin la prit de nouveau dans ses bras, savourant le contact de sa peau nue contre la sienne.

— Je suis prêt à tout, murmura-t-il. Mais tu dois savoir que nous n'avons pas encore vraiment commencé.

Parce qu'elle pensait avoir compris ce qu'il entendait par là, Cassie rassembla son courage et ravala son dégoût pour palper d'une main obligeante l'entrejambe de son pantalon. Avec un juron étouffé, Devin se rejeta en arrière pour lui échapper.

— Je... je croyais que tu..., bégaya-t-elle, au comble de la confusion. J'avais compris que tu me demandais...

Les yeux écarquillés sur l'impressionnante bosse qui déformait la toile du jean, Cassie comprenait à présent son erreur. Le contact avait été fugitif, mais il lui avait suffi pour sentir que Devin était déjà aussi dur qu'un roc.

Trop amusé par l'incident pour lui en vouloir, Devin se mit à rire.

— Si cela ne te fait rien, je préférerais me contenter de te caresser pour le moment, dit-il.

— Cela m'est égal, répondit Cassie, mais tu es...

— Je sais parfaitement dans quel état je suis, l'interrompit-il. Mais tu m'as promis de faire ce que je te demande, rappelle-toi. Et ce que je te demande, c'est de me regarder simplement. Sans me toucher.

Un sourire d'excuse sur les lèvres, Cassie hocha la tête. Satisfait de la voir sagement lui obéir, les mains croisées derrière le dos, Devin s'approcha de nouveau pour lui frôler la poitrine et le torse du bout des doigts. Avec une joie grandissante, il vit dans ses yeux l'effet que lui faisaient ces caresses, entendit dans son souffle précipité le plaisir qu'elles lui procuraient. Alors, laissant libre cours à sa tendresse, il lui murmura à l'oreille les mots doux, les serments, les paroles folles qu'il rêvait de lui susurrer depuis tant d'années.

Les yeux fermés, Cassie se laissa dériver dans un brouillard confus mais tellement délicieux de sensations et de mots. Et quand les doigts de Devin s'accrochèrent à la ceinture de son pantalon pour en défaire l'agrafe, elle parvint même à ne pas sursauter. Pour rien au monde elle ne gâcherait cet instant privilégié. Peu lui importait ce que Devin allait lui faire à présent, tant avaient été délicieux les moments qui avaient précédé. Elle n'avait jamais ressenti cette attente troublée, cette langueur, ou peut-être les avait-elle oubliées.

Les mains de Devin étaient fermes, ses doigts un peu calleux, mais elle était certaine de n'avoir jamais été caressée avec autant de douceur et de sensibilité. S'il n'en avait tenu qu'à elle, elle aurait aimé qu'il continue à la caresser ainsi, toujours. Mais Devin était en train d'achever de la dénuder, ce qui signifiait que bientôt tout serait fini. Pourtant, elle en était certaine, il la serrerait tendrement contre lui lorsqu'il en aurait terminé. A elle seule, cette perspective suffisait à la consoler.

Lorsqu'il la souleva dans ses bras pour la porter comme une jeune mariée jusqu'au lit, elle ne put s'empêcher de sourire. Ainsi donc, le sexe pouvait être autre chose que ces images laides et crues qui lui restaient à la mémoire de ses désastreuses étreintes avec Joe ? La lumière de la chandelle, douce et chaleureuse, baignait la scène d'une certaine magie. Elle se sentait entourée de tendresse et de désir. Par quelque prodige, Devin avait réussi à la faire se sentir femme, pour la première fois de sa vie.

Eperdue de reconnaissance, elle se nicha contre sa poitrine, noua les bras autour de son cou, et l'embrassa avec une urgence et une ferveur qu'elle ne s'était jamais connues. Leurs lèvres ne s'étaient pas désunies lorsqu'il la déposa sur le lit, dont les ressorts malmenés se mirent à grincer. Dans l'attente de ce qui allait suivre, Cassie se raidit imperceptiblement et ferma les yeux pour tenter de se relaxer. Puis, constatant que Devin, contrairement à son attente, ne s'était pas couché sur elle, elle les rouvrit.

Nu et souriant, lové contre son flanc et la tête posée sur sa main, Devin s'amusait de sa surprise et reprenait d'une main obstinée le ballet de ses caresses.

— Tout va bien, lui dit-il pour la rassurer. Laisse-moi prendre mon temps. Tu as promis de te plier à tous mes désirs, tu te rappelles ?

Troublée de sentir contre sa hanche la masse palpitante de son sexe dressé, Cassie l'entendit à sa grande surprise lui vanter les mérites de son corps. Murmures et caresses firent tournoyer contre l'écran de ses paupières closes de nouveaux flashes de lumière, courir sur sa peau frémissante de nouvelles vagues de frissons.

Devin n'avait jamais éprouvé autant de satisfaction à caresser le corps d'une femme. Cassie était incroyablement douce, si délicieusement innocente. Cette pureté seule suffisait à canaliser le désir tempétueux qui bouillonnait en lui. En écoutant avec émotion le souffle de Cassie se précipiter, il songeait qu'après avoir attendu douze ans, il pouvait bien conserver quelques minutes encore une patience d'ange, même si la faim dévorante qui lui nouait le ventre n'avait rien d'angélique.

Pourtant, incapable de résister à la tentation de ces fruits mûrs, il laissa sa bouche s'emparer avec gourmandise de la pointe de ses seins dressés. Il voulait lui donner plus, il voulait lui donner tout, il voulait la sentir aussi pantelante de désir qu'il l'était lui-même. De ses lèvres déchaînées sur sa poitrine, de ses mains agiles sur tout son corps, il fit tant et si bien pour le plaisir de Cassie et pour le sien que bientôt il la sentit trembler sous ses caresses. Avec une joie mêlée de soulagement, Devin comprit qu'elle avait commencé à gravir cette pente qui la mènerait de l'autre côté du plaisir. Il était fier d'être le premier à l'accompagner sur cette route et de lui montrer à quel point la chute était douce.

Cassie haletait sans pouvoir apaiser le feu qui lui consumait le corps. Quelque chose en elle s'était mis en branle. Quelque chose qui la dépassait complètement. C'était trop énorme, trop puissant, trop intense et trop effrayant. Pour étouffer le gémissement rauque qui lui montait à la gorge, elle se mordit violemment la lèvre.

— Tu peux gémir…, conseilla Devin d'une voix altérée. Tu peux même crier si tu veux. Personne d'autre que moi ne t'entendra. Laisse-toi aller, Cassie.

— Je ne peux pas.

Décidé à lui montrer qu'aucun obstacle ne la séparait du plaisir qui lui faisait si peur, Devin posa une main possessive sur le sexe de Cassie. Sans aucune résistance, avec une déconcertante facilité, ses doigts pénétrèrent au plus profond de son intimité offerte. Comme un arc bandé, le corps de Cassie se cabra sur le lit.

— Ne me demande pas d'arrêter ! supplia-t-il sans cesser de la caresser. Surtout ne me le demande pas !

Pour seule réponse, Cassie laissa fuser de ses lèvres

un cri de jouissance trop longtemps contenu, qui l'eût couverte de honte si son esprit n'avait été mobilisé par la vague de plaisir immense que les doigts de Devin soulevaient en elle. Avec une rapidité confondante, tout son être sembla se ramasser en un point infiniment dense, avant d'exploser pour se disperser dans toutes les directions à la fois.

Le poing serré dans le drap froissé pour se garder de toute précipitation, Devin observa avec une joie profonde la jouissance bouleverser les traits de Cassie. On eût dit qu'un autre visage de la femme qu'il pensait connaître depuis tant d'années lui était subitement révélé. Lorsqu'elle reposa, parfaitement détendue sur le lit, aussi calme et étale qu'une mer sans vent, il sut que son heure était venue.

Savourant sur le visage de Cassie l'expression d'heureuse surprise qui s'y peignait, Devin se fondit en elle. Avec un soupir de soulagement, goûtant chaque instant de cette étreinte comme s'il était le dernier, il prit enfin autant qu'il avait à lui donner.

Cassie ne pouvait s'empêcher de trembler, mais ce n'était pas de froid, bien au contraire. La chaleur de son propre corps, combinée à celle de Devin, semblait rayonner autour d'eux en ondes presque palpables. Allongé sur elle, il respirait fort, comme un homme qui aurait couru un cent mètres. Le poids de son corps abandonné sur le sien la clouait au lit, de sorte qu'elle pouvait sentir chaque ressort contre son dos. Jamais elle ne s'était sentie aussi bien. Jamais elle ne s'était sentie aussi femme. Pour la première fois de son existence, elle comprenait que ce que l'on appelait dans les livres la fusion amoureuse n'était pas un vain mot.

— Je sais que je t'écrase, grogna Devin indistinctement. Je vais essayer de bouger.

— Tu peux rester, tu sais. J'aime te sentir sur moi.

Pour s'assurer qu'il ne pourrait s'en aller, Cassie referma bras et jambes autour de lui, à la manière de verrous lui immobilisant le corps. Surprise autant de cette initiative que de sa liberté de ton, Devin redressa la tête et l'observa d'un œil sévère.

— Dorénavant, dit-il, tu ne me feras plus croire que tu n'es pas douée à ce petit jeu-là.

Trop heureuse pour se formaliser, Cassie se mit à rire gaiement.

— Je n'y suis pour rien, répondit-elle. C'est toi qui as tout fait. C'était merveilleux, Devin. J'ai même…

— Je sais, l'interrompit-il. Trois fois. Je les ai comptées. Tu pourras me remercier plus tard si tu veux.

De nouveau, elle partit d'un rire communicatif, dans lequel Devin la rejoignit. Lorsque leurs rires s'apaisèrent, Cassie remit en place du bout des doigts quelques mèches folles qui avaient glissé sur le front de Devin. Le voyant s'essayer à une imitation de ronronnement, elle sentit son cœur fondre pour lui.

— C'était merveilleux, murmura-t-elle en laissant ses doigts s'attarder le long de sa joue. C'était… fantastique ! Tu ne trouves pas ?

— Mmm !

Religieusement, Devin déposa un baiser sur la paume de sa main.

— Après tant d'années, dit-il, c'était bien le moins que

nous pouvions faire. Mais je te préviens, je n'ai aucune intention d'attendre douze ans pour recommencer.

Avec un claquement de langue agacé, Cassie lui assena une petite tape sur l'épaule.

— Ne sois pas bête ! protesta-t-elle. A présent que je sais ce qui se cache derrière l'étoile du shérif, comment pourrais-je ne pas avoir envie de recommencer ? Tu es... tellement beau !

— La malédiction des MacKade..., dit-il avec un soupir.

— Pas seulement.

Cassie éleva son autre main à hauteur du visage de Devin, dessinant du bout des doigts les contours émouvants de ce visage qu'elle découvrait sous un autre jour. Cela paraissait si facile, à présent, tellement naturel et évident, de le toucher.

— Tu te rappelles, poursuivit-elle, quand j'étais une petite fille qui venait de temps à autre rendre visite à ta mère ?

— Bien sûr, répondit-il sans hésiter. Une charmante petite fille. Si je n'avais pas été tellement occupé par mes affaires de garçon, j'aurais sans doute pu tomber amoureux de toi, déjà à cette époque.

— J'avais pris l'habitude de t'observer quand tu ne t'en doutais pas, dit-elle sur le ton de la confidence. Spécialement l'été, lorsqu'il vous arrivait à toi et à tes frères de travailler torse nu.

Le sourire amusé de Devin se fit coquin.

— Eh bien, eh bien, petite Cassie ! Qui aurait pu croire une chose pareille ?

— Je crois que, pendant un moment, j'ai eu un béguin terrible pour toi. Dans le secret de mon lit, il m'arrivait même d'imaginer à quoi pouvait ressembler... le reste de ton corps. A présent, je sais que mes rêves de gamine étaient bien loin de la réalité.

Sans pouvoir s'empêcher de rougir, Cassie étouffa un petit rire.

— Je ne sais pas ce qui m'arrive…, s'excusa-t-elle. Comment puis-je te dire des horreurs pareilles ?

— Etant donné les circonstances, la rassura Devin, je crois que tu pourrais en dire bien d'autres.

Et il n'espérait quant à lui que la voir poursuivre dans cette voie. Déjà, il pouvait se sentir durcir de nouveau en elle.

— Je devais avoir douze ans…, précisa rêveusement Cassie, imperturbable. Vous étiez tellement gentils avec moi. Tous les quatre. J'adorais venir vous voir, mais je dois avouer que mes visites étaient plus nombreuses l'été, quand j'avais des chances de vous apercevoir torse nu et en sueur, comme tu l'es maintenant.

D'un doigt curieux, elle dessina le contour de son épaule.

— Plus tard, quand j'ai travaillé chez Ed, j'étais jalouse des femmes qui te suivaient du regard lorsque tu entrais dans le café.

— Cassie, tu me flattes.

— Je t'assure que c'est vrai ! Evidemment, quand c'était l'un de tes frères, les femmes présentes le regardaient aussi.

Devin poussa un soupir consterné.

— Et maintenant, se lamenta-t-il, tu me gâches mon plaisir.

Amusée, Cassie leva la main pour lui caresser la joue.

— Rassure-toi, dit-elle. Il me semble bien me rappeler à présent qu'elles soupiraient plus fort — et plus longtemps — lorsqu'il s'agissait de toi.

— Je me sens mieux.

— Et quand tu étais sorti, ajouta Cassie, Ed ne pouvait s'empêcher de lancer derrière son comptoir : « Ce Devin MacKade a vraiment la plus belle paire de fesses de tout le comté ! » Désolée, dit Cassie, dépassée par sa propre audace. Je n'aurais pas dû dire cela.

— Trop tard ! s'amusa Devin. De toute façon, Ed n'a jamais fait mystère de l'admiration qu'elle porte à cette partie de mon anatomie.

Un sourire rêveur jouant sur ses lèvres, Cassie laissa ses mains vagabonder le long du dos de Devin, jusqu'à ses fesses qu'elle caressa longuement.

— Il faut reconnaître, susurra-t-elle, qu'Ed a plutôt bon goût en la matière.

Le corps arqué au-dessus de celui de Cassie, Devin eut un sourire triomphant et commença à se mouvoir lentement en elle.

— Regarde ce que tu as fait…, dit-il.

Rien n'aurait pu lui faire plus plaisir que de voir ses yeux s'arrondir sous l'effet de la surprise.

— Mais comment fais-tu pour… Oh ! mon Dieu !

— Je t'assure que je n'y suis pour rien, répondit-il en riant. Cette fois, c'est toi qui as tout fait.

Chapitre 8

Il faisait presque jour lorsque Cassie se glissa telle une ombre dans sa cuisine. Comme une adolescente ayant outrepassé la permission de minuit, elle se sentait légèrement coupable. Mais aussitôt, songeant qu'il ne lui était jamais arrivé de violer aucun couvre-feu, qu'elle s'était de tout temps conformée à ce que sa mère, puis son mari, avaient attendu d'elle, elle eut un petit rire frondeur et se redressa fièrement.

Elle n'était plus une adolescente et n'avait de comptes à rendre qu'à elle-même. Elle, Cassandra Connor, ex-épouse Dolin, avait passé la nuit — toute la nuit — entre les bras de l'homme le plus beau et le plus merveilleux qui pût exister.

Au souvenir des heures exquises qu'elle venait de vivre, son cœur s'emballait encore. Elle avait la tête étonnamment légère, et son corps lui laissait l'impression d'avoir été massé avec des pétales de fleurs. Curieuse de capter son reflet pour y constater les changements qui devaient s'y manifester, elle se pencha vers le grille-pain aux chromes scintillants.

Ravie de ce qu'elle y découvrit, elle esquissa trois pas de danse, avant de se figer sur place en découvrant la haute silhouette qui venait d'apparaître sur le seuil. Drapée dans une chatoyante robe de chambre, ses cheveux rouge cuivré serrés dans des rouleaux roses, Ed avait le visage encore bouffi de sommeil.

— Désolée, murmura Cassie. Je ne voulais pas te réveiller.

— Tu as été aussi discrète qu'une souris, assura-t-elle. Mais je guettais ton retour.

Après l'avoir longuement détaillée de pied en cape, Ed hocha la tête d'un air satisfait.

— Inutile de te demander comment tu vas ce matin, reprit-elle. Manifestement, la nuit s'est bien passée.

Préférant ne pas s'appesantir sur le sujet, Cassie s'empressa de demander :

— Les enfants ne t'ont pas causé de soucis ?

— Bien sûr que non ! répondit Ed avec un geste éloquent de la main. Je ne les ai pas entendus de la nuit.

Pour s'occuper les mains et l'esprit, Cassie se hâta vers la cafetière. Appuyée au chambranle de la porte, les bras croisés, Ed la regarda mesurer soigneusement la mouture.

— Alors ? demanda-t-elle finalement. Vas-tu te décider à me raconter ou dois-je me servir de mon imagination, qui ne me fait pas défaut en ce domaine ?

Aussitôt, les joues de Cassie s'empourprèrent, autant sous le coup du plaisir que de l'embarras.

— J'ai passé la nuit avec Devin, confia-t-elle dans un souffle.

— Cela, répondit Ed d'un air entendu, figure-toi que je l'avais compris. Et à te retrouver aussi pimpante et guillerette, je me figure bien que vous n'avez pas passé votre temps à discuter de la pluie et du beau temps.

Ed quitta son poste pour prendre un flacon de jus d'orange dans le réfrigérateur. Puis, devant le silence persistant de Cassie, elle poussa un petit soupir et précisa :

— Cassie ! Je ne tiens pas particulièrement à me mêler de ce qui ne me regarde pas mais, en tant que ta plus vieille amie dans cette ville, je tiens à m'assurer que tu vas aussi bien que tu en donnes l'impression.

Touchée par sa sollicitude, Cassie se retourna vers elle et lui adressa un sourire rassurant.

— Je vais bien, dit-elle. Je crois même que je ne me suis jamais sentie aussi bien.

Ed hocha la tête avec satisfaction. Son visage étroit était encore luisant de crème de nuit. Sur son crâne déjà clairsemé, ses rouleaux malmenés par l'oreiller laissaient pendre de longues mèches filasse. En dessous de son excentrique robe de chambre, ses jambes maigres se plantaient tels deux piquets de bois dans des charentaises mauves.

Reposant la bouilloire sur la plaque chauffante, Cassie se précipita vers elle pour se jeter dans ses bras. Surprise et ravie, Ed lui caressa doucement les cheveux.

— Je me sens différente, avoua Cassie. Ai-je l'air différente ?

— Tu as l'air heureuse.

— Mon estomac fait des bonds tellement je suis heureuse.

Riant d'elle-même, Cassie se recula pour se masser le ventre.

— Mais pourtant, reprit-elle, je me sens tellement bien. Je n'aurais jamais imaginé que cela pourrait être comme cela. Je n'aurais jamais pensé que je pourrais un jour… être ainsi.

Après avoir jeté un coup d'œil inquiet en direction du hall, d'où ses enfants auraient pu surgir, Cassie retourna à sa tâche. Emma et Vince ne s'éveilleraient sans doute pas avant une bonne demi-heure. Songeant qu'il était bon pour une fois d'avoir une amie à qui se confier, elle prit une profonde inspiration et se lança.

— Avant Devin, je n'avais jamais connu aucun autre homme que Joe…

— Je sais, ma chérie.

— Durant nos fiançailles, je n'ai pas voulu lui céder… Je voulais faire les choses dans les règles. Avec l'éducation que j'avais reçue, comment aurait-il pu en être autrement ?

Méticuleusement, elle remplit deux tasses de café, qu'elle alla déposer sur la table, avant de s'y asseoir.

— Le soir de notre nuit de noces, reprit-elle, j'étais nerveuse, mais excitée aussi. Tu te rappelles ? Tu m'avais offert cette chemise de nuit en satin blanc bordée de dentelle. J'étais heureuse de la porter pour lui. Quand nous sommes arrivés au motel, j'ai demandé à Joe de me laisser une heure pour me préparer. Je voulais prendre un bain et puis… enfin tu vois.

— Les rituels féminins, approuva Ed en hochant la tête. Je connais.

— Quand il est revenu — deux heures plus tard — il était soûl. Cela ne ressemblait à rien de ce que j'avais rêvé. Il a déchiré la chemise de nuit. Il m'a poussée sur le lit. Tout s'est passé si vite. Il m'a fait mal. Je savais que cela pouvait être douloureux la première fois, mais pas à ce point. Il s'est endormi comme une masse juste après. Et moi je suis restée là sur le lit. A pleurer, en silence, pour ne pas risquer de l'éveiller. A part la douleur, je n'avais rien senti de particulier.

Ed fulminait de colère. Par-dessus la table, elle tendit le bras pour prendre dans la sienne la main de Cassie.

— Nul homme n'a le droit de traiter une femme ainsi !

— C'est pourtant ainsi qu'il me traitait…, répondit-elle avec un sourire triste. Toujours… Il ne me faisait pas mal chaque fois, mais c'était toujours rapide, violent, et même un peu méchant. Je m'imaginais que c'était ma faute. Que je ne savais pas m'y prendre. Joe disait que c'était tout ce que je méritais. Cela s'est un peu arrangé lorsque j'étais enceinte de Vincent. Vu mon état, il me laissait tranquille la plupart du temps. Je ne savais pas encore qu'il me trompait. J'étais trop bête pour m'en apercevoir.

— Ne parle pas de toi ainsi ! s'emporta Ed. Je ne le supporte pas.

— Peut-être ne voulais-je pas voir ce qui se passait, poursuivit Cassie. J'étais transportée à la perspective de devenir mère. Bien sûr, il me battait déjà à l'époque. Cela avait commencé peu après notre mariage. Je ne voyais pas ce que je pouvais y faire. Ma mère disait toujours… Peu importe ce qu'elle disait. En espérant des jours meilleurs, j'ai tout supporté. Puis Emma est arrivée. Nous n'avons eu que peu de rapports après sa naissance. Chaque fois il m'a forcée. En fait, je crois que… Je crois qu'il me violait.

— Oh ! Cassie…, gémit Ed. Pourquoi ne m'as-tu rien dit ?

Les mains serrées autour de son café comme pour s'y réchauffer, les yeux baissés, Cassie secoua la tête.

— J'avais trop honte…, répondit-elle enfin d'une voix tremblante. Il était mon mari, Ed. Et même si j'avais tort — je le sais aujourd'hui —, j'imaginais qu'il avait le droit de se conduire ainsi.

Pour conclure cette longue confession, Cassie soupira profondément et acheva son café à petites gorgées. Quand elle reprit la parole, Ed fut surprise de constater que son regard avait retrouvé sa lumière. Les sombres souvenirs qu'elle venait d'évoquer n'avaient manifestement plus la même emprise sur elle que par le passé.

— Hier soir, reprit-elle, quand je me suis décidée à aller voir Devin, je ne pensais pas que… Je savais qu'il ne me ferait pas mal — du moins, pas autant que Joe. Je pensais que faire l'amour avec lui le rendrait heureux, que c'était tout ce qui comptait. Je pensais qu'il ferait juste… Que je n'aurais qu'à…

— Tu as passé la nuit avec un homme digne de ce nom…, acheva Ed pour la tirer d'embarras. Voilà toute la différence.

Soulagée, Cassie lui sourit avec reconnaissance.

— Oui. Devin s'est montré si gentil, tellement patient. Tu sais, il se souciait de ce que je ressentais. Il s'en souciait réellement. Il a fait en sorte que je me sente belle, importante, désirable. Il y a tellement bien réussi que je n'aspire qu'à recommencer.

La tête rejetée en arrière, Ed partit d'un grand rire.

— Rien de meilleur ne pouvait t'arriver ! conclut-elle en pressant affectueusement la main de Cassie.

Soudain très sérieuse, celle-ci posa un regard grave sur son amie.

— Devin dit qu'il m'aime, annonça-t-elle d'une voix égale. Je sais que les hommes disent ce genre de choses pour faire plaisir aux femmes dont ils ont envie. Tu crois qu'il en serait capable ?

— Je crois que Devin MacKade est un homme qui dit ce qu'il pense, répondit Ed sans hésitation. Et toi ? L'aimes-tu ?

— Je ne sais pas. Tout cela est tellement confus pour moi. Ce dont je suis sûre à présent, c'est que je n'ai jamais aimé Joe. Mais cela ne m'aide pas à savoir ce qu'aimer un homme signifie. Je ressens vis-à-vis de Devin tellement de sentiments différents, parfois contradictoires, que je suis bien incapable de dire si l'un d'eux ressemble à l'amour.

— Alors, conclut Ed en se levant de table pour la prendre de nouveau dans ses bras, il faut te laisser le temps d'y voir plus clair. Ne laisse personne te pousser à quoi que ce soit si tu ne t'y sens pas prête. Pas même Devin MacKade.

— Mais… comment saurai-je que je suis prête ?

— Tu le sauras. Crois-en mon expérience, quand le moment sera venu, tu le sauras.

Incapable de rester seul à son bureau, Devin avait sauté dès le départ de Cassie dans sa voiture de patrouille pour se rendre à la ferme. Alors que sa vie était sur le point de prendre un nouveau départ, le besoin s'était fait sentir en lui de retrouver ce qui jusqu'alors lui avait fait office de foyer.

Le ciel commençait à peine à s'éclaircir lorsqu'il pénétra dans la salle de traite où Shane et deux élèves de l'école d'agriculture qu'il avait accepté de prendre en stage achevaient les tâches matinales. Avec une patience à toute épreuve, Shane leur montrait comment détacher la trayeuse du pis des vaches.

S'avisant de l'arrivée de son frère, il dit :

— Comme vous pouvez le constater, le shérif MacKade arrive toujours après la bataille. Vous pouvez les libérer maintenant. Menez-les à la pâture de l'est.

Sans doute impressionnés par le badge, les deux garçons se hâtèrent de s'exécuter et de vider les lieux derrière le troupeau. Puis, Devin aida Shane à nettoyer le banc de traite et à désinfecter les machines, puisant dans ce travail routinier une satisfaction certaine.

— Tu te rappelles, dit-il après un long silence, quand p'pa nous avait obligés à traire à la main pendant toute une semaine ?

A cette évocation, Shane eut un sourire nostalgique.

— Les machines tombent souvent en panne, lança-t-il en imitant la voix de Buck MacKade. Les vaches, jamais !

Unis dans le souvenir de celui qui leur avait appris à devenir des hommes, ils rirent quelques instants, avant que Shane ne reprenne :

— Tu es bien matinal. Et à voir ce sourire idiot sur ton visage, je parierais que tu es arrivé à tes fins avec Cassie.

S'abstenant de tout commentaire, Devin hocha la tête en souriant de plus belle. Avec cette complicité fraternelle qu'ils partageaient depuis l'enfance, rien d'étonnant à ce que Shane eût tout de suite compris ce qui lui arrivait. Au sein du clan MacKade, il ne fallait pas espérer pouvoir conserver bien longtemps ses petits secrets.

— Je me sens tellement bien que je m'abstiendrai de te casser le nez comme tu le mérites, dit-il.

— Tant mieux. Parce qu'il faut encore que je nourrisse les poules avant le petit déjeuner… Tout de même. Toi et la petite Cassie — qui aurait pu imaginer une chose pareille ?

— Moi, confia spontanément Devin, j'y pense depuis longtemps. En fait, cela fait des années que je suis amoureux d'elle.

Comme si la foudre venait de lui tomber dessus, Shane se redressa, le visage blême.

— Ne… ne me dis pas que…, bafouilla-t-il. Cela devient gênant ! Chaque fois que j'ai le dos tourné, un de vous s'arrange pour tomber amoureux. Je vais finir par faire des cauchemars.

Devin s'approcha de son frère pour le réconforter d'une tape sur l'épaule.

— Et pourtant, dit-il, il faudra t'y faire. Parce que j'ai bien l'intention de lui demander de m'épouser.

Après avoir ôté sa casquette, Shane se massa le visage et fourragea longuement dans ses cheveux.

— Ecoute…, reprit-il d'une voix pressante. Je te l'accorde, Cassie est belle comme les blés et aussi douce que le lait frais. Mais ce n'est pas une raison pour perdre la tête !

— Je l'aime, répondit simplement Devin en soutenant son regard. Il me semble que je suis né pour cela. Même si je le voulais, je ne pourrais rien faire pour m'en empêcher.

Semblant renoncer à argumenter, Shane éteignit en grommelant le tableau électrique et sortit de l'étable précipitamment. Les mains calées au fond de ses poches, il se dirigea d'un bon pas vers le poulailler, lançant à Devin par-dessus son épaule :

— Je ne vois vraiment pas ce que le mariage peut avoir de si attirant à vos yeux. Penses-y, Dev. Si tu te maries, tu devras te contenter d'une femme — d'une seule femme ! — pour le reste de ton existence.

Amusé, Devin hâta le pas pour rejoindre son frère.

— Et toi, suggéra-t-il, tu devrais penser au bon côté des choses. Avec tes trois frères définitivement casés, tu restes le seul en lice pour maintenir auprès de la gent féminine la réputation des MacKade.

— C'est juste…, admit Shane, soudain rasséréné. Je n'y avais pas pensé.

Habituellement, Cassie ne s'attardait jamais dans la bibliothèque et, lorsqu'elle devait s'y rendre, elle s'arrangeait toujours pour que quelqu'un fût dans la maison avec elle.

Pourtant, aujourd'hui, il n'y avait personne dans la grande demeure. Vince et Emma étaient à l'école, quant aux hôtes du jour, ils l'avaient prévenue qu'ils resteraient en excursion toute la journée. Elle trouva d'abord mille autres choses à faire, puis, sachant que la pièce avait été utilisée la veille, elle se résolut à y entrer. Après tout, il n'y avait guère que quelques livres à ranger sur leurs rayonnages, deux plantes à arroser, et les deux douzaines de petits carreaux des hautes fenêtres à laver.

Elle y pénétra donc d'un pas résolu, laissant la porte à double battant grande ouverte, non parce qu'elle avait peur de s'y retrouver enfermée, mais pour entendre d'éventuels arrivants.

Elle commença par prendre, sur la longue table vernie, les piles de livres qu'elle devait remettre en place. Regan et Rafe avaient veillé à ce que leurs clients disposent d'un nombre important d'ouvrages couvrant les sujets les plus divers. Par les après-midi pluvieux au coin de la cheminée du salon, ou durant les longues nuits sans sommeil dans leurs chambres, ils étaient nombreux à en profiter.

Naturellement, elle était libre de puiser elle aussi dans ce fonds, mais elle ne le faisait que rarement. Même Vincent, qui était pourtant un lecteur vorace, paraissait éviter cet endroit où il aurait pu assouvir à loisir sa passion. Sans doute les boiseries anciennes conféraient-elles à la pièce une atmosphère trop sombre et menaçante. Peut-être pouvaient-ils sentir s'y attarder l'ombre de John Barlow, le mari d'Abigail, qui avait autrefois fait de cette pièce son domaine.

Refusant de se laisser intimider par cette idée, Cassie descendit l'escabeau pour aller examiner les deux philo-dendrons qui poussaient dans l'embrasure des fenêtres. D'évidence, ils avaient autant besoin d'être dépoussiérés qu'arrosés, et c'est en s'attelant à cette tâche qu'elle sentit la température chuter brutalement.

Un frisson la secoua tout entière. Habituée aux mani-festations de cet ordre, elle comprit qu'elle n'était plus seule. En périphérie de son champ de vision, elle crut voir un homme se précipiter vers elle. Ce grand corps lourd... Ce visage rond et sanguin, aux traits menaçants, aux petits yeux noirs et aux longs favoris épais. Ce ne pouvait être que Joe.

Dans l'instant de terreur qui suivit, en se retournant d'un bloc pour faire face, Cassie renversa à grand fracas ses produits sur le sol. Mais Joe n'était pas où elle avait cru le voir. Il n'y avait personne. Transie jusqu'à la moelle des os, elle fit volte-face pour tenter d'ouvrir la fenêtre et faire entrer dans la pièce la chaude brise d'été. Mais ses doigts gelés s'acharnèrent sur la poignée sans le moindre résultat, tandis que son souffle court embuait la vitre.

— Tu l'as laissé te toucher, hein ? Salope !

Dans un geste réflexe, Cassie se protégea la tête pour parer aux coups qui n'allaient pas manquer de lui être assenés.

— Tu pensais peut-être que je n'en saurais rien ? Tu pensais pouvoir me cocufier sous mon propre toit ? Finalement, avec ton visage d'ange et tes manières de grande dame du Sud, tu n'es rien d'autre qu'une catin !

Ne sachant que faire, tremblant de tous ses membres,

Cassie s'accrocha à la poignée de la fenêtre, le visage écrasé contre la vitre. Bien trop terrorisée pour penser à s'enfuir, elle chercha en vain par-dessus son épaule un coin où se réfugier. Seule. Elle était parfaitement seule dans la pièce. D'où pouvait donc provenir cette voix qui résonnait sous son crâne ?

— Comprends bien ceci : tu m'appartiens et tu ne pourras jamais me quitter. Je préférerais te voir morte que te laisser quitter cette maison. Je vous tuerai tous les deux s'il le faut. Tu m'as juré obéissance et fidélité — jusqu'à ce que la mort nous sépare. Et seule la mort en effet pourrait te libérer de moi.

— Cassie.

Avec un cri étranglé, Cassie se retourna vers la porte grande ouverte, et aperçut la silhouette de Devin. Elle traversa la pièce en trombe pour se précipiter dans ses bras.

— Devin ! s'écria-t-elle, en proie à la panique. Tu dois t'en aller, vite, avant qu'il ne te voie. Il va te tuer !

Sur le visage de Devin, la surprise fit place à l'inquiétude.

— Mais de quoi parles-tu ? lança-t-il en la dévisageant avec anxiété. Seigneur. Tu trembles comme une feuille. Et qu'est-ce qui se passe, ici ? On gèle !

Sans cesser de scruter la pièce pour tenter d'y dénicher le danger qui semblait la menacer, Devin prit ses mains dans les siennes pour les réchauffer.

— J'ai cru que c'était Joe, confia-t-elle dans un souffle.

Ses genoux la trahirent et les boiseries de la bibliothèque semblèrent tourner quelques instants autour d'elle. Par bonheur, Devin la serrait fermement contre lui. Prise de vertige, elle ferma les yeux. Lorsqu'elle les rouvrit, tout dans la pièce semblait avoir recouvré son visage habituel.

— C'est fini, constata-t-elle en se redressant. Il est parti.

Presque instantanément, la température était redevenue normale. De nouveau, le soleil pénétrait à flots par les fenêtres, déposant sur le parquet ciré de larges taches dorées.

Décidant de remettre à plus tard les questions qui lui brûlaient les lèvres, Devin soutint Cassie par le bras jusqu'à un petit sofa.

— Je vais aller te chercher un verre d'eau, suggéra-t-il en l'aidant à s'asseoir.

— Surtout pas ! s'écria Cassie. Tout va bien maintenant, mais je t'en prie ne me laisse pas seule ici. Je… je crois que je me suis trompée. J'ai cru reconnaître Joe, mais je pense que c'était John Barlow. Le mari…

Cassie avala péniblement sa salive avant d'achever :

— Le mari d'Abigail.

Devin ne cessait de scruter attentivement son visage. Elle était encore pâle, mais ses yeux avaient retrouvé toute leur vivacité.

— Je l'ai entendu…, reprit-elle sans quitter Devin du regard, comme pour se rassurer. Je crois que… qu'il me prenait pour sa femme. C'était horrible. Ses insultes et ses menaces résonnaient sous mon crâne, pourtant il n'y avait personne dans la pièce. John Barlow savait que sa femme était amoureuse d'un autre. Il l'accusait de l'avoir trompé avec cet homme. Il disait qu'il ne la laisserait jamais partir, qu'il préférerait la tuer, qu'il préférerait les tuer tous les deux.

La voyant s'animer de nouveau, Devin préféra couper court.

— Sortons d'ici, dit-il. Montons chez toi.

Désemparée, Cassie regarda les produits de nettoyage renversés sur le sol.

— Mais je n'ai pas fini de…

— Je m'en occuperai tout à l'heure, rétorqua Devin. Pour l'instant, tu as surtout besoin de te changer les idées.

Comprenant qu'il l'aurait sans hésiter emportée dans ses bras si elle avait refusé de le suivre, Cassie le précéda jusqu'à l'escalier de service qui menait à son appartement. Pour être honnête, il lui fallait bien reconnaître qu'elle n'était pas fâchée de s'éloigner de la bibliothèque.

— Ce n'est pas la première fois, commenta-t-il en gravissant les marches derrière elle, que je t'entends parler de cet homme dont Abigail aurait été amoureuse. Qu'est-ce qui te fait croire qu'il a existé ?

— Je l'ai vu…, répondit-elle, un peu réticente. Je passais l'aspirateur dans la chambre d'Abigail — je veux dire dans la suite nuptiale. J'ai tourné la tête vers la porte, et il était là, habillé à l'ancienne, à me regarder droit dans les yeux et à me parler comme si j'étais elle. Je pouvais sentir la présence d'Abigail aussi. Elle avait le cœur brisé, mais elle ne pouvait pas faire autrement que de le laisser partir. A présent que je sais de quoi la menaçait son mari, je comprends mieux pourquoi.

Arrivée sur le dernier palier, la main sur la poignée de sa porte, Cassie se retourna vers Devin.

— Je suis de plus en plus persuadée qu'Abigail Barlow s'est suicidée.

Un peu ébranlé par cette révélation autant que par l'assurance avec laquelle Cassie la lui avait faite, Devin la suivit jusqu'au living-room et s'assit sur une chaise.

— Qu'est-ce qui te fait croire une chose pareille ? demanda-t-il enfin.

— Je n'en sais rien…, avoua-t-elle en prenant place face à lui, de l'autre côté de la table. C'est juste une impression. Peut-être en partie parce que cela paraît logique. Et peut-être également parce que je peux le comprendre, étant donné qu'il m'est arrivé d'y songer moi aussi.

Le sang reflua brutalement du visage de Devin. Rien de ce qu'il savait de sa triste histoire ne l'avait jamais effrayé autant que ce qu'elle venait de lui révéler.

— Bon sang, Cassie !

D'un bond, il fit le tour de la table pour la rejoindre et s'agenouiller à ses pieds, emprisonnant ses mains dans les siennes.

— Pas pendant très longtemps, s'empressa-t-elle d'ajouter pour le rassurer. Et pas très sérieusement. Je devais penser aux enfants avant tout. Et puis j'avais des amis — toi, Ed, Regan — pour me soutenir et m'aider à faire face. Abigail n'avait rien — ni enfants pour la retenir, ni amis pour l'épauler. Barlow y avait veillé. En ville, elle n'était aux yeux de tous qu'une étrangère, une Sudiste. Quant aux domestiques, leur maître les terrorisait trop pour lui venir en aide.

Tout en parlant, Cassie semblait toucher du doigt la tristesse et la désolation de cette femme qu'elle n'avait jamais connue, mais dont elle se sentait proche comme elle ne l'avait jamais été d'aucune autre.

— Il la battait régulièrement, poursuivit-elle dans un murmure. Il la menaçait sans cesse. Il la rabaissait constamment aux yeux de tous. Quand il a abattu ce jeune soldat blessé sous ses yeux, elle a su qu'il était capable du pire. Cela lui a pris deux années, mais elle a fini par capituler. Elle s'est enfuie, par la seule porte de sortie qu'il lui avait laissée.

Inquiet de la voir à ce point concernée par cette histoire

vieille de plus d'un siècle, Devin serra fortement ses mains dans les siennes.

— Ecoute-moi…, plaida-t-il avec force. Quelles qu'en soient les raisons, Abigail est morte. Cette histoire n'est pas la tienne.

D'un air pensif, Cassie hocha la tête.

— Elle aurait pourtant pu l'être.

— Mais elle ne l'a pas été ! répliqua-t-il fermement. Joe Dolin est en prison, tu es là à mes côtés, et rien ne peut t'arriver. Tu n'as aucune raison d'avoir peur.

— Rassure-toi, dit-elle en lui adressant un pâle sourire. Je suis fatiguée d'avoir peur. Cela ne m'intéresse plus. Je suis heureuse que tu sois là.

Puis, comme frappée par une évidence, elle ajouta :

— Mais, au fait, qu'est-ce qui t'amène ?

— Je me suis arrangé pour me libérer une heure, répondit Devin. J'avais envie de te voir. J'avais besoin d'être avec toi.

— J'ai pensé à toi toute la matinée, avoua Cassie. Ce matin, j'ai même failli servir du café à Emma au lieu de son chocolat tellement j'avais la tête ailleurs.

— C'est vrai ?

Un sourire radieux s'épanouit sur les lèvres de Devin.

— A quoi pensais-tu ? reprit-il. Etais-tu en train d'imaginer que nous faisions de nouveau l'amour ?

Les joues de Cassie s'empourprèrent. Devin, rassuré, comprit que l'étrange expérience qu'elle venait de vivre était à présent derrière elle.

— Comment le sais-tu ? s'étonna-t-elle.

— Il m'est arrivé la même chose. Ce matin à la ferme, Shane a mangé des œufs brouillés sucrés.

Ils rirent tous deux, puis, sans lui lâcher les mains, Devin se releva et l'incita gentiment à en faire autant.

— Il me reste un peu moins d'une heure, murmura-t-il avec un sourire d'envie. Que dirais-tu de la passer au lit avec moi ?

Cassie faillit s'étrangler de surprise.

— En plein milieu de la journée ?

— Pourquoi pas ?

Sans lui laisser le temps de réfléchir, il l'entraîna vers sa chambre. Docilement, Cassie le suivit. Quand il eut refermé la porte, elle le vit décrocher son ceinturon et le suspendre à la poignée. Puis il s'approcha d'elle et entreprit de lui déboutonner son chemisier. Le souffle court, Cassie sentit son cœur s'affoler.

— Il est presque midi…, dit-elle en un dernier effort pour lui échapper. Tu dois avoir faim.

Lentement, Devin fit glisser le vêtement au bas de ses épaules.

— Une faim de loup…, confirma-t-il en baissant la tête pour déposer un baiser dans le creux de son cou. Veux-tu que j'arrête ?

La tête rejetée en arrière, les yeux clos, les narines frémissantes, Cassie laissa échapper un long soupir.

— Surtout pas…, murmura-t-elle sans l'ombre d'une hésitation.

La minute suivante, émerveillée, elle avait oublié que le soleil était à son zénith, que les oiseaux pépiaient dans les branches, et que les voitures passaient sans discontinuer sur la route, en contrebas de la maison Barlow. Il était tellement facile de laisser le miracle s'accomplir de nouveau. Tellement facile de sentir sa peau fleurir sous les caresses de Devin. Il était si doux et si rassurant de sentir son corps d'homme ferme et énergique contre le sien qu'elle ne ressentait aucune gêne de savoir que la lumière se déversait à flots dans la pièce.

Devin prit son temps pour la déshabiller, savourant chaque étape, profitant de la pleine lumière pour s'émerveiller des splendeurs qui lui avaient échappé à la lueur des bougies la nuit précédente. Malgré l'excitation grandissante qui le gagnait, il prit garde de conserver à ses caresses toute leur patience, toute leur douceur. Après s'être déshabillé rapidement lui aussi, il la souleva dans ses bras pour la déposer sur le lit, s'accordant le plaisir d'épandre sur le couvre-lit blanc sa chevelure comme une couronne de blés murs.

Puis, après s'être allongé à côté d'elle, il lui murmura doucement à l'oreille :

— Je t'aime.

Surprise, Cassie ouvrit grand les yeux.

— Devin, je…

Sans lui laisser le temps de poursuivre, il lui posa un doigt sur les lèvres.

— Ne dis rien maintenant, reprit-il avec persuasion. Je veux juste que tu t'habitues à m'entendre te le dire. Je n'attends rien en retour. Pas de réponse, pas de serment. Quand tu t'y seras habituée, je te demanderai si tu veux m'épouser.

— Je… Je ne peux pas, balbutia-t-elle en se redressant sur un coude. Tu ne peux pas me demander cela. C'est beaucoup trop tôt.

— Pas pour moi.

Tant bien que mal, Devin ignora la déception qu'il sentait poindre en lui. Il ne se permettrait pas d'être en colère. Il ne s'accorderait même pas le droit d'être découragé de la découvrir si réticente.

— Tu m'as appris la patience, reprit-il d'une voix égale, aussi je peux bien attendre encore un peu. Mais je voulais que tu saches dans quelle perspective je me place. Je veux que tu sois ma femme. Je veux que tes enfants soient les miens. Mais je peux comprendre que cela te fasse peur. Et je suis prêt à attendre que tu sois prête.

Cassie secoua la tête tristement.

— Il ne faut pas…, protesta-t-elle d'une voix hésitante. Je ne serai peut-être plus jamais prête. J'ai déjà prononcé ces vœux. Je ne sais pas si je pourrai un jour les prononcer de nouveau.

— Je ne t'ai jamais entendue les prononcer, quant à moi. C'est tout ce qui compte à mes yeux.

Découragée, Cassie laissa retomber sa tête dans l'oreiller, les yeux fixés au plafond. Quelques instants, Devin la dévisagea sans rien dire. Manifestement, il l'avait effrayée. Mais il était à présent trop tard pour faire machine arrière. Ce qui était dit était dit.

— Je t'aime, conclut-il avec une tranquille obstination. Contentons-nous pour l'instant de cette certitude et voyons où cela nous mènera.

— Ne vois-tu pas que…

Renonçant à la convaincre par des mots, Devin déposa sur ses lèvres un long baiser, jusqu'à la sentir se détendre entre ses bras.

— Je ne vois que toi, Cassie…, murmura-t-il en laissant sa bouche descendre jusqu'à ses seins. Rien que toi…

Tout en ramassant les détritus abandonnés sur une aire de pique-nique du champ de bataille, Joe Dolin épiait à la dérobée les champs, les collines et la route en contrebas. De grands arbres ombrageux, quelques murets de pierre, ne suffiraient pas à assurer la réussite de son plan. Il était décidé à choisir soigneusement son endroit, son moment, pour garantir à son évasion le maximum de chances de réussite. Et l'heure où il pourrait enfin fausser compagnie à ses gardiens ne semblait pas avoir sonné.

Tôt ou tard, leur équipe finirait par travailler du côté du pont, où le général Burnside avait rassemblé ses dernières troupes, lors de la bataille d'Antietam. Là, le sol était inégal, couvert de broussailles et de rochers. Traverser la rivière lui permettrait de brouiller les pistes. Dans les bois qui s'étendaient sur l'autre rive, il pourrait aisément se cacher.

Il connaissait le coin comme sa poche. Il avait souvent braconné le daim dans les environs, en compagnie de quelques-uns de ses copains de beuverie. Il avait eu en cellule plus de temps qu'il ne lui en fallait pour planifier sa cavale, estimer les temps de parcours à pied, répertorier les planques, et les endroits où il pourrait bon gré mal gré trouver un peu d'aide.

Dans le même temps, il peaufinait son image de prisonnier modèle. En prison, songeait-il tout en ramassant scrupuleusement les boîtes de sodas et les emballages abandonnés par les touristes, il avait acquis cette bonne réputation qui lui avait toujours fait défaut à l'extérieur. De quoi l'aider à sortir de taule et à mettre enfin la main sur Cassie.

La petite garce allait payer pour chaque jour passé derrière les barreaux, sans pouvoir boire le moindre verre ou toucher la moindre femme. Quand il en aurait terminé avec elle, viendrait le tour des MacKade — tous les quatre, puisqu'il n'y en avait pas un pour rattraper l'autre et que tous le haïssaient. Il ne cessait d'y penser, d'en rêver, de s'en délecter. Et s'il devait n'en tuer qu'un, ce serait Devin, qui plus que tous les autres réunis avait travaillé à sa perte. Ensuite, il n'aurait qu'à ramasser ce qui resterait de sa femme pour s'enfuir avec elle à Mexico.

Tout ce dont il avait besoin, c'était d'un peu d'argent, d'une voiture et d'une arme. Dès qu'il serait libre, il savait exactement où les trouver.

Chapitre 9

Les yeux aux aguets, Vincent s'efforçait de ne rien rater de la scène qui s'offrait à ses yeux. Si Bryan s'agitait dans le vain espoir d'apercevoir les cellules à l'arrière du bâtiment, il aurait pu quant à lui rester des heures immobile, à regarder le shérif MacKade travailler.

Depuis longtemps, il avait l'intention d'écrire une histoire policière. La difficulté du projet l'avait jusqu'à présent toujours fait reculer. La possibilité d'observer Devin et son adjoint répondre aux appels, taper leurs rapports, renseigner le public ou enregistrer les plaintes était donc pour lui une véritable aubaine.

Déjà, les mots lui venaient pour décrire la danse des grains de poussière dans les rayons de soleil venus des fenêtres, le grincement du ventilateur poussif au-dessus de leurs têtes, les éraflures et les marques de cigarettes sur le bureau. Une forte odeur de café — un café trop fort, sans doute un peu amer — se mêlait à l'odeur de poussière.

Sans aucune difficulté, Vincent avait stocké dans sa mémoire le timbre de la sonnerie du téléphone, le bruit que faisait le fauteuil du shérif en raclant le parquet, la façon qu'avait l'adjoint Donnie de se gratter sans cesse le sommet du crâne en classant des liasses de papier dans des boîtes d'archives.

La voix du shérif n'avait plus de secrets pour lui. C'était une voix de basse, grave et un peu traînante, teintée d'une pointe d'humour pour répondre à certains appels, ou parfaitement neutre et officielle lorsqu'il le fallait.

Quand il raccrochait, comme il le faisait à l'instant, le shérif ne manquait jamais de boire une gorgée de café et de prendre quelques notes sur un calepin qui ne le quittait jamais. Saisi par une brusque inspiration, Vincent songea qu'il lui faudrait faire de ce carnet, dans son histoire, le principal ressort de l'intrigue.

Il lui faudrait songer à demander au shérif ce qu'il en pensait. Il lui faudrait penser à demander au shérif un million d'autres choses encore. Mais, pour l'instant, il devait se contenter de l'observer travailler, en se faisant aussi discret que possible pour ne pas le déranger.

Avec la sensation d'être épié, Devin releva brusquement la tête, surpris de découvrir les grands yeux de Vince, si sérieux et attentifs, fixés sur lui. Ce gamin était tellement discret qu'il avait fini par faire totalement abstraction de sa présence à deux pas de lui.

Un rapide coup d'œil à sa montre lui apprit qu'il était temps d'emmener les deux garçons déjeuner. Sans doute Vince aurait-il pu rester encore des heures ainsi, à le regarder travailler, mais son copain Bryan commençait à montrer les signes d'une agitation difficile à contenir.

Après avoir jeté en hâte une ultime note sur son calepin, Devin le referma d'un geste sec et le glissa dans sa poche.

— Donnie, lança-t-il en se levant, je te confie la permanence. Le temps d'emmener ces deux garçons se restaurer chez Ed.

— Yo !

— Les gars de la police d'Etat vont sans doute appeler à propos de l'affaire Messner. Dis-leur qu'ils auront le rapport sur leur bureau dès lundi.

— Yo ! répéta Donnie, sans cesser de classer ses archives ni de se gratter le crâne.

— Je rapporterai de quoi nourrir Curtis. Tu n'as qu'à le lui dire s'il commence à faire du grabuge dans sa cellule.

— Vous avez un prisonnier ! lança Bryan, tout excité par cette révélation.

En entraînant son petit monde vers la sortie, Devin réprima un sourire. Pour un peu, il aurait presque regretté de ne pouvoir leur annoncer l'arrestation d'un dangereux psychopathe.

— Juste un vagabond, expliqua-t-il. Arrêté hier pour ivresse sur la voie publique.

Cette précision n'atténua en rien l'enthousiasme de Bryan, qui hocha la tête avec respect. Après le déjeuner, il espérait bien user de son influence auprès de son oncle pour le convaincre de le laisser jeter un petit coup d'œil sur ces fameuses cellules.

— Ce n'est pas tout ça, conclut Devin en les devançant d'un bon pas sur le trottoir, mais je ne cracherais pas sur un hamburger. Qu'en dites-vous ?

— Avec des frites ! approuva Bryan derrière lui. Pas vrai, Vince ?

Entièrement habité par les questions qu'il voulait poser au shérif, celui-ci hocha la tête d'un air pensif. Il allait se lancer et poser la première d'entre elles lorsque son ami le devança.

— Devin ? demanda-t-il après l'avoir rejoint pour

sautiller à côté de lui. Est-ce qu'il est déjà arrivé qu'un prisonnier s'évade ?

L'image du vieux Curtis assommant Donnie pour lui dérober ses clés fulgura dans l'esprit de Devin. Mordillant sa langue pour ne pas éclater de rire, il fit mine d'y réfléchir.

— Non, répondit-il enfin. Le cas ne s'est jamais produit.

— Mais s'il se produisait ? insista Bryan. Tu devrais faire usage de ton arme. Pour tirer dans les jambes, par exemple.

Cette fois, Devin ne put se retenir de rire gaiement.

— Avant d'en arriver là, il faudrait d'abord essayer de le rattraper.

— Et s'il résistait ?

Sachant ce qui était attendu de lui, Devin prit son air le plus féroce.

— Alors, s'exclama-t-il d'une voix de shérif de western, il verrait bien de quel bois je me chauffe !

— Un crochet du droit, renchérit Bryan en mimant le geste, les bracelets aux poignets, et vlam ! Retour à la case départ.

— Si la ville est paisible, intervint doctement Vincent, c'est que le shérif fait tout pour qu'elle le demeure.

Amusé par tant de confiance naïve et spontanée, Devin ébouriffa les cheveux des garçons. Ils se remettaient en route en direction de chez Ed lorsqu'une voix nasillarde lança dans leur dos :

— Shérif ! Vous avez une minute ?

Devin se retourna et réprima un soupir en voyant s'approcher en toute hâte le vieux M. Grant, propriétaire de la quincaillerie, dont la tendance au bavardage était en ville connue de tous.

— Monsieur Grant…, salua-t-il sobrement. Comment vont les affaires ?

— Couci-couça, shérif. Couci-couça.

Soudain préoccupé par un fil accroché au revers de sa longue blouse grise, M. Grant prit le temps de l'en chasser d'un revers de main agacé avant de poursuivre :

— Vous savez, shérif, ce n'est pas mon genre de fourrer mon nez dans les affaires des autres. Comme je dis toujours : avec moi c'est vivre et laisser vivre.

Cette traditionnelle entrée en matière achevée, le vieux monsieur guetta sur le visage de son interlocuteur un signe d'acquiescement, que Devin lui donna bien volontiers d'un sourire.

— Naturellement, monsieur Grant. Que vouliez-vous me dire ?

— Eh bien voilà…, reprit-il sur le ton de la confidence. Je faisais mon petit tour habituel — juste pour prendre l'air, à mon âge, c'est bien nécessaire — quand en passant devant la banque — qui à cette heure-ci est normalement fermée, je vous le rappelle — j'ai distingué à l'intérieur un individu qui brandissait une arme devant lui.

Ne sachant quel crédit accorder à l'information, Devin s'étonna :

— En êtes-vous vraiment sûr, monsieur Grant ?

Choqué que l'on pût mettre en doute sa parole, le vieux monsieur précisa, les yeux ronds :

— Tout à fait certain ! J'ai beau être vieux, j'ai encore de bons yeux. L'homme avait une arme. Cela m'a semblé être un calibre 45 mais j'ai pu me tromper. C'était peut-être un calibre 38 après tout.

Avant que les deux garçons, statufiés sur place, aient

pu émettre le moindre commentaire, Devin leur assena une vigoureuse tape sur l'épaule.

— Vous deux, dit-il sur un ton qui n'admettait aucune réplique, vous filez immédiatement chez Ed et vous y restez jusqu'à ce que je vienne vous chercher.

— Mais, Devin…

— Sans discuter, Bryan ! Et surtout ne dites rien à personne. Vous ne voudriez pas que des curieux viennent gêner le travail du shérif, n'est-ce pas ?

— Qu'allez-vous faire ? s'enquit Vincent, d'une voix inquiète.

— M'occuper de ce petit problème. Maintenant, filez. Et vite !

Les voyant détaler promptement, Devin prit soin de ne pas les quitter des yeux, jusqu'à être sûr d'avoir été obéi.

— Monsieur Grant ? demanda-t-il en se tournant vers lui. Auriez-vous l'obligeance de venir avec moi pour me montrer ce que vous avez vu ?

— Sans aucun problème, shérif.

La banque était située en face du café Ed's, à un demi-pâté de maisons de là où ils se trouvaient. Un rapide coup d'œil dans cette direction suffit à Devin pour comprendre que Bryan et Vince, le visage collé contre la vitrine, ne perdraient pas une miette du spectacle attendu. Puis, constatant la densité du trafic en ce samedi matin, Devin grimaça. Il lui faudrait en tenir compte s'il devait intervenir. La priorité, si problème il y avait, était qu'aucun de ses concitoyens ne fût blessé.

— Avez-vous pu distinguer le visage de l'individu, monsieur Grant ?

— Un peu. Il paraît jeune. Votre âge, je dirais. Cheveux

longs. Une moustache. Il ressemble au fils Harris, mais ce n'est pas lui.

Devin hocha la tête. En face de la banque, il venait d'enregistrer la présence d'un pick-up blanc poussiéreux, immatriculé dans le Delaware.

— Vous avez déjà vu cette voiture ?

M. Grant l'examina quelques instants d'un air songeur avant de secouer énergiquement la tête.

— Jamais vue.

— Très bien, monsieur Grant. Attendez-moi ici une minute.

Débloquant le rabat de son holster, Devin s'adossa à la façade de brique de la banque avant de se porter d'un bond à hauteur de la porte. Derrière la grille de fer forgé qui la protégeait, il eut le temps de distinguer la caissière au visage figé par la peur, mains levées derrière son comptoir. Face à elle et tournant le dos à la rue, un homme agitait nerveusement une arme dans sa direction. Devin nota au passage qu'il s'agissait d'un calibre 45. Le quincaillier avait décidément de bons yeux.

— Monsieur Grant, lança Devin en rejoignant promptement celui-ci, je voudrais que vous alliez à mon bureau prévenir Donnie que je vais avoir besoin de renforts à la banque pour un vol à main armée. Dites-lui bien que je ne veux pas le voir débouler ici toutes sirènes hurlantes. Qu'il appelle la police d'Etat. Vous avez compris ?

— Sûr, shérif. Ravi de vous rendre service.

— Et quand ce sera fait, ajouta-t-il, rentrez chez vous. Inutile de revenir ici.

Il regarda le vieil homme trottiner vers le poste de police, en songeant qu'il n'en ferait sans doute qu'à sa tête, et se retourna vers la banque. C'est alors qu'il aperçut son frère Rafe sur le trottoir opposé.

— Rafe ! lança-t-il. Viens m'aider, je t'embauche.

— Pas le temps…, protesta celui-ci après avoir traversé la rue. Regan m'envoie chercher un paquet de couches, nous sommes à court. On jouera aux gendarmes et aux voleurs plus tard.

— Tu vois ce pick-up blanc, avec des plaques du Delaware ?

— Je ne suis pas aveugle.

— Tu as carte blanche pour le neutraliser.

Sur le visage de Rafe, un sourire de pur ravissement apparut.

— Dev. Cela remonte à loin, je ne sais pas si je saurai encore.

— Fais-le ! l'interrompit sèchement Devin.

— Qu'est-ce qui se passe ?

— Quelqu'un est en train de dévaliser la banque. Arrange-toi pour mettre son véhicule hors service au cas où il réussirait à m'échapper. Ensuite, fais ce que tu peux pour éloigner le plus de monde possible sans semer la panique.

— Tu ne vas tout de même pas rentrer là-dedans tout seul.

— J'ai une arme, répliqua Devin, tu n'en as pas. Je porte un badge, et toi non. Pas le temps de discuter, Rafe. Sois sympa et fais ce que je te demande. A mon avis, ce type est seul et je suis de taille à le maîtriser. S'il sort de là en agitant devant lui ce foutu flingue, surtout ne joue pas les héros et mets-toi à l'abri.

Voyant avec satisfaction son frère obtempérer sans discuter, Devin décrocha son ceinturon qu'il abandonna sur un rebord de fenêtre. Après en avoir retiré son arme, il la glissa dans la ceinture de son pantalon. Le badge, promptement décroché, atterrit dans la poche de poitrine de sa chemise. S'il arrivait à le mettre en œuvre rapidement, son plan était simple et sûr. Sans plus tarder, un sourire aux lèvres, il poussa la porte et pénétra d'un pas assuré dans l'agence bancaire.

— Hello, Nancy ! lança-t-il à l'employée. Je croyais arriver trop tard pour déposer ma recette de la semaine. Une chance pour moi que vous soyez encore ouverts.

La jeune femme, tétanisée, s'arrangea pour se tourner vers lui, ses mains tremblantes toujours levées haut devant elle. Sans paraître noter l'étrangeté de la situation, Devin marcha dans sa direction d'un pas tranquille.

— Ma femme m'aurait botté les fesses si j'avais trouvé porte close, reprit-il. Vous savez, nous avons…

Le premier moment de stupéfaction passé, le malfaiteur s'interposa, agitant de plus belle son arme devant lui.

— T'es dingue ou quoi ? hurla-t-il en martelant chaque syllabe. Allonge-toi par terre ! Tout de suite.

— Hey ! protesta Devin sans s'énerver. Pas la peine de le prendre sur ce ton. Je suis juste un honnête commerçant qui essaie de faire ses affaires.

Les yeux rivés à ceux de l'homme, Devin dirigea lentement sa main vers sa poche revolver, comme pour y saisir son portefeuille.

— Je vais te montrer, hurla l'inconnu de plus belle, comment on fait des affaires !

Au grand soulagement de Devin, l'individu cessa de pointer son arme en direction de Nancy pour la diriger vers lui.

— Pose ton fric sur le comptoir ! Puisque tu sembles y tenir, je le prendrai aussi.

Comme s'il venait juste de noter la présence de l'arme, Devin joua l'étonné.

— Doux Jésus ! Vous êtes en train de faire un hold-up !

— T'as enfin compris, Einstein ? Allez ! Aboule le fric.

— D'accord, d'accord…, lâcha Devin comme s'il se résignait. Je ne veux pas d'histoire. Vous pouvez le prendre.

Lorsque la main de Devin reparut chargée de son arme de service au lieu du portefeuille attendu, le visage du malfaiteur devint livide.

— Et maintenant ? demanda Devin. On attend de voir qui tirera le premier ?

L'homme écumait de rage.

— Je te tuerai ! hurla-t-il. Je jure que je te tuerai !

— C'est une possibilité, admit Devin. A moins que ce ne soit moi qui le fasse. A présent, tu vas bien gentiment poser ton arme sur le sol et faire un pas en arrière. Tu t'es déjà rendu coupable d'attaque à main armée, tu ne voudrais pas en plus avoir à répondre d'un homicide sur la personne d'un officier de police ?

— Un flic ! éructa l'autre, hors de lui. Un putain de flic ! Alors, c'est elle que je vais flinguer.

Déjà, l'arme pivotait en direction du comptoir. Sachant Nancy réfugiée sur le sol, hors d'atteinte, Devin n'hésita pas une seconde pour agir. Et puisque l'homme était à portée de main, il usa de son poing plutôt que de son revolver.

Dans la mêlée, l'homme tira en direction du plafond, avant que l'arme ne lui tombe des mains pour aller rebondir sur le sol. L'ignorant délibérément, Devin posa le canon de son Glock entre les yeux du malfaiteur.

— Nancy ? appela-t-il. Tout va bien ?

De derrière le comptoir, ce fut tout un chœur de voix soulagées et essoufflées, de cris de joie, de rires et d'applaudissements qui lui répondit. Au bruit de la porte dans son dos, Devin devina la présence de Rafe derrière lui et jeta un coup d'œil par-dessus son épaule. Découvrant le pied-de-biche dont il s'était armé, il sourit et protesta :

— Ce n'était pas vraiment nécessaire. Je t'avais dit que je m'en occupais.

— C'était juste au cas où. Qu'est-ce que tu as fait, Dev ? Tu l'as scalpé ?

D'une pichenette, Devin acheva de faire glisser sur le crâne chauve du malfaiteur la perruque dont il avait cru bon de s'affubler.

— On dirait bien, dit-il. Et tant que j'y suis, je pourrais lui donner un petit coup de rasoir.

Arrachée d'un coup sec, la moustache postiche qui lui barrait le visage se retrouva elle aussi sur le sol. Sans ménagement, Devin incita l'homme à se remettre sur pied avant de lui passer les menottes.

— Au cas où vous ne l'auriez pas deviné, dit-il, vous êtes en état d'arrestation. Vous pouvez garder le silence, et tout ce que vous direz pourra être retenu contre vous.

Après lui avoir récité ses droits d'une voix monocorde, Devin se retourna sur le pas de la porte pour lancer aux témoins toujours réfugiés derrière le comptoir :

— Vous pouvez sortir de là, maintenant, mais je vous prie de ne pas quitter la banque. Je vais envoyer mon adjoint pour prendre vos dépositions.

Depuis leur poste d'observation privilégié derrière la vitrine de chez Ed, Bryan et Vince, fascinés, regardèrent

Devin sortir de la banque, poussant devant lui l'individu menotté dans le dos.

— Il l'a eu ! lança Bryan avec un soupir extatique. Devin a maîtrisé à lui tout seul un dangereux pilleur de banque.

— Normal…, commenta Vince à ses côtés. C'est le shérif.

Dès l'instant où la nouvelle fut connue, il ne fut plus question dans tout Antietam que de la tentative de hold-up ratée.

Avant la fin de la journée, en témoignage de la reconnaissance publique, Devin se retrouva comblé de suffisamment de petits plats maison pour ouvrir un restaurant. Ils le consolèrent des interminables rapports officiels auxquels il ne put se soustraire pour clore l'enquête. Ils le consolèrent également des appels téléphoniques incessants de citoyens inquiets, du maire venant aux nouvelles, du banquier venant le remercier, et de quelques jeunes femmes venant proposer de le réconforter après l'épreuve qu'il venait de subir.

Il était justement occupé à décliner l'une de ces offres intéressées lorsque ses trois frères déboulèrent dans son bureau.

— Non, Annie. Je t'assure que je n'ai pas été blessé.

En réponse au regard interrogateur de Rafe, Devin roula des yeux épouvantés.

— Non, il n'a pas tiré sur moi non plus. Sharilyn exagère toujours, tu sais… Oui, je t'assure que je vais bien. Très très bien. Et pour être franc, je suis un peu pressé pour l'instant. Oui, c'est cela. La paperasse comme tu dis. Merci de ton appel. Bye, Annie.

En reposant le combiné avec une lenteur délibérée, Devin laissa échapper un gros soupir.

— Etait-ce la belle Annie Linstrom ? demanda Shane, sans chercher à masquer son admiration.

— En personne, répondit-il avec un rire libérateur.

— C'est normal que tu attires les convoitises, intervint Jared en s'asseyant sur un coin du bureau. Tu es le héros de la ville. D'après ce que j'ai entendu dire, les balles ont rebondi sur ta poitrine.

Shane contemplait d'un œil gourmand une étagère chargée de pâtisseries.

— Elle est de Betty Maloy, cette tarte au citron meringuée ? demanda-t-il.

Alors que le téléphone se remettait une fois encore à sonner, Devin le considéra quelques instants d'un air consterné sans se décider à répondre.

— Mais où diable est passé Donnie ? s'impatienta-t-il.

— La dernière fois que je l'ai vu, répondit Rafe, il paradait sur Main Street. Sans doute pour rassurer la population. Il est vrai qu'à côté de lui, Robocop fait figure d'amateur. Tu ne réponds pas, shérif ?

Lâchant à mi-voix une bordée de jurons, Devin décrocha et se laissa retomber lourdement dans son fauteuil. Une fois encore, c'était la presse. Chaque journal local, chaque correspondant de presse à cinquante miles à la ronde avait tenu à se faire relater les faits dans le détail. Devin débita le communiqué qu'il avait préparé et déclina une demande d'interview avant de raccrocher.

— Tu fais ça bien…, approuva Jared, mimant une profonde admiration.

— Je commence à regretter de ne pas avoir logé une balle dans le crâne de cet imbécile, murmura Devin. Il ne m'attire que des ennuis. Par sa faute, je suis cloué ici, à taper des rapports idiots et à répondre au téléphone à des questions qui le sont tout autant.

— Au moins, tempéra Shane en grappillant un cookie sur un plateau, tu ne mourras pas de faim.

— Pour te changer les idées, ajouta Rafe, nous pensions t'emmener boire un verre chez Duff.

— Impossible, marmonna Devin. Je ne peux laisser le prisonnier seul ici.

— Dure vie que celle d'un shérif…, compatit Jared. Mais qui offre des compensations. Tu sais qu'aux yeux de Bryan, tu vaux dix fois mieux que Rambo maintenant.

Amusé, Devin se mit à rire, avant de se pencher vers son bureau pour faire mine d'y consulter attentivement quelque paperasse.

— Rafe ? demanda-t-il sans le regarder. Tu as pu faire un tour à la Résidence ? Tout va bien là-bas ?

— Très bien. Cassie était un peu inquiète — les nouvelles vont vite, comme tu sais. Mais je l'ai rassurée en lui disant qu'on avait beaucoup exagéré et qu'en fait tu n'avais pas fait grand-chose.

— Trop aimable.

— A ton service. Vincent était déjà occupé à écrire une histoire sur toi.

Un large sourire illumina le visage de Devin.

— Sans blague.

— *Une journée dans la vie du shérif MacKade…* , ajouta Rafe en se servant un gobelet de café. Ce gosse est dingue de toi.

La bouche pleine d'un autre cookie, Shane approuva en hochant vigoureusement la tête.

— Une bonne chose, puisque Devin a l'intention d'épouser sa mère.

Rafe s'étrangla avec le café brûlant, en renversa la moitié sur sa main, qu'il agita longuement en jurant à mi-voix.

— Cassie ? s'écria-t-il. La petite Cassie ?

— Shane en fait un peu trop, intervint Devin avec dans les yeux une lueur de fierté qui démentait ses propos. Comme d'habitude…

— Hey ! protesta l'intéressé. C'est toi-même qui me l'as dit ! C'est toi qui en fais un peu trop en voulant faire comme ces deux-là.

Du menton, d'un air de profond mépris, il désigna les deux aînés.

— Ferme-la, Shane…, lui intima Jared sans cesser de fixer Devin. C'est vrai, Dev ? Toi et Cassie ?

— Et alors ?

— Alors rien.

Agacé de se retrouver le point de mire de ses frères sur un sujet aussi sensible, Devin se leva. Dans le but de se calmer autant que pour se donner une contenance, il marcha jusqu'à la machine à café et se servit.

— Dev a de la suite dans les idées…, lança Rafe, pince-sans-rire. Tu n'avais pas déjà le béguin pour elle, il y a dix ou douze ans ? En fait, mariée ou pas, tu n'as jamais pu l'oublier, pas vrai ? Très romantique, frérot. Cela me va droit au cœur !

— Continue ainsi, maugréa Devin avec un regard noir, et c'est à un autre endroit de ton anatomie que mon pied va atterrir.

— Décidément, grogna Shane, Antietam devient la ville de tous les dangers pour les célibataires endurcis.

— Il est vrai, intervint Rafe sur le ton du constat, que tu aurais pu faire un plus mauvais choix.

Précipitamment, Shane avala son biscuit pour faire valoir son point de vue.

— Qui a dit le contraire ? En plus d'être un ange, Cassie est vraiment très mignonne. Mais qu'a-t-il besoin de l'épouser ? Vous voyez tout ça ?

D'un large geste de la main, il balaya l'impressionnant étalage de tartes, gâteaux, biscuits et petits plats en tout genre.

— A présent qu'il est un héros, toutes les femmes de cette ville sont folles de lui. Et lui, tout ce qu'il trouve à faire, c'est de les repousser sous prétexte qu'il en aime une autre ? Si vous voulez mon avis, conclut Shane avec indignation, ce n'est pas seulement stupide, c'est parfaitement égoïste !

S'approchant de son frère par-derrière, Rafe lui assena sur la nuque une claque à assommer un grizzly.

— J'adore cet idiot ! décréta-t-il. Pas de doute, on peut compter sur lui pour perpétuer la légende des MacKade dans le troisième millénaire.

— Et comment ! approuva Shane avec conviction. La femme qui me mettra la bague au doigt n'est pas encore née. Avec toutes ces fleurs à portée de la main, pourquoi se contenter d'une seule quand on peut avoir un bouquet ?

— Et poète avec ça ! renchérit Rafe en lui assenant un nouveau coup sur le crâne. Viens, Shane... Allons plutôt chez Duff noyer ton chagrin dans la bière.

— Allez-y sans moi, intervint Jared sans bouger du

coin du bureau sur lequel il était assis. J'ai deux mots à dire à Dev et je vous rejoins.

Se disputant déjà pour savoir qui paierait sa tournée, Rafe et Shane s'en allèrent, sous l'œil goguenard de Devin.

— Un problème ? demanda-t-il, intrigué.

Quittant son poste, Jared alla s'asseoir plus confortablement dans le fauteuil réservé aux visiteurs face au bureau de Devin.

— Pas pour le moment, répondit-il. Mais ça pourrait venir. Tu as déjà parlé mariage à Cassie ?

— Un peu. Pourquoi ?

— Joe Dolin.

— Ils sont divorcés. Tout est fini entre lui et Cassie.

— Ils sont divorcés, répéta Jared, mais je n'irai pas jusqu'à dire que tout est fini. Un jour ou l'autre, Dolin sortira de prison. Et s'il le souhaite, il pourrait parfaitement revenir vivre ici.

— J'en fais mon affaire.

— Oui. Je ne doute pas que tu puisses te charger de Joe, d'homme à homme. Mais il y a entre vous la loi, et l'ordre que tu es chargé de représenter ici.

Devin caressa du pouce l'étoile épinglée à son revers.

— Justement, dit-il. Il touche encore une fois Cassie, il essaie simplement de le faire, et je le renvoie derrière les barreaux avant qu'il ait pu dire ouf !

Sans quitter son frère des yeux, Jared hocha la tête.

— Tu es le shérif, Devin. Et tu es de parti pris dans cette affaire. Donc tu n'es pas objectif comme tu devrais l'être. Tu ne peux pas l'être.

Résolument, Devin croisa les bras sur le bureau, et se pencha vers lui.

— Depuis que je suis en âge d'aimer, dit-il avec

conviction, je suis amoureux de Cassie. Et tout le temps qu'elle a été mariée à ce salaud, je n'ai rien pu faire d'autre qu'agir dans le strict cadre de la loi. Quand il la massacrait consciencieusement, je ne pouvais l'aider parce qu'elle ne le souhaitait pas et parce que ma fonction me liait les mains. Il en va tout autrement à présent. Et plus rien ne m'empêche de protéger la femme que j'aime. Il lève le petit doigt sur elle, et c'est un homme mort.

Une lueur d'inquiétude passa dans le regard de Jared. Il ne fallait pas prendre l'avertissement à la légère. Lui-même, n'aurait-il pas tenu le même discours s'il s'était agi de protéger la femme de sa vie ? De plus, il connaissait suffisamment Devin pour savoir qu'il était homme à dire ce qu'il pensait et à faire ce qu'il disait.

— Imaginons un instant qu'il soit assez intelligent pour ne pas s'en prendre à Cassie, reprit-il. Imaginons qu'il revienne vivre ici, à sa sortie de prison, et qu'il se tienne tranquille. Comment réagirais-tu ?

— Pour commencer, répondit Devin sans hésiter, j'essaierais de convaincre Rafe de ne pas aller le réduire en bouillie pour ce qu'il a osé faire à Regan.

Jared opina du chef, l'air préoccupé. Cela risquait de ne pas être de tout repos. En effet, lorsque Cassie s'était enfin décidée à quitter Dolin et à porter plainte contre lui, elle s'était réfugiée avec ses enfants chez celle qui n'était pas encore à l'époque la femme de Rafe. Attaquée en rentrant chez elle par Joe Dolin, ivre et fou furieux, Regan avait eu bien du mal à échapper à ses assauts.

— Et ensuite ? insista Jared.

— Ensuite, répondit Devin, j'aviserai. Une chose après l'autre, Jare, comme je l'ai toujours fait.

— Devin…, plaida Jared sans se décourager. Crois-moi,

j'essaie juste de t'aider à avoir une idée claire de la situation. Je suis le premier à applaudir à cette idée de mariage. Cassie ne pouvait rêver meilleur mari que toi, tout comme tu ne pouvais rêver meilleure épouse. Mais il n'y a pas que vous à prendre en compte. Il y a aussi les enfants. Les enfants de Joe Dolin.

Les yeux verts de Jared s'assombrirent brusquement.

— Comment peux-tu me dire une chose pareille, alors que tout le monde sait que tu considères Bryan comme ton propre fils ?

— Essaie de me comprendre, insista Jared sans s'énerver. Il suffit de vous voir ensemble pour comprendre à quel point ces enfants comptent pour toi. Et manifestement, ils te le rendent bien. Ces gosses ont déjà trop souffert. Ils méritent un père digne de ce nom, un foyer...

— Cela tombe bien, intervint Devin, c'est exactement ce que je veux leur offrir.

— Magnifique ! Mais tu dois bien comprendre que ta situation vis-à-vis d'eux n'est pas la même que la mienne vis-à-vis de Bryan. Bry n'a jamais connu son père biologique, il ne sait même pas qui il est. Ce qui n'est pas le cas d'Emma et Vincent. Aux yeux de la loi, même déficient, Joe Dolin est toujours leur père.

— Il se fiche pas mal de ses gosses ! protesta Devin. Il ne leur a jamais accordé la moindre attention.

— Ce qui ne l'empêche pas de conserver un droit sur eux, conclut Jared. Et s'il ne peut pas s'en prendre à Cassie, il lui viendra peut-être à l'idée de l'atteindre à travers eux. Dès qu'il sera sorti de prison, il pourra réclamer un droit de visite. Et ni toi ni Cassie ne pourrez vous y opposer.

Les poings serrés sur le bureau, Devin fit la grimace. Il n'avait jamais songé à une telle éventualité. Ou peut-être s'était-il interdit d'y penser. A présent que Jared l'obligeait à l'envisager, il sentait son sang se figer dans ses veines et une colère froide s'emparer de lui.

— C'est toi l'avocat, gronda-t-il sourdement. Tu t'arrangeras pour empêcher ça.

— Le droit parental est un terrain miné, Dev. Tu le sais aussi bien que moi. Tant que Joe Dolin ne sera pas déchu de ses droits paternels, tant que nous n'aurons pas réussi à prouver qu'il peut être dangereux pour ses enfants, il aura la loi avec lui.

— Il battait Vincent.

Le front de Jared se plissa et ses sourcils se rejoignirent sous l'effet de la concentration.

— Je l'ignorais.

— C'est Vince qui a fini par me l'avouer. Son père s'arrangeait pour le battre sans que Cassie le sache. Il ne lui en a jamais rien dit pour ne pas lui faire de peine.

— Le moment venu, reconnut Jared, cela pourrait nous être utile. Mais ne te fais pas trop d'illusions. Dès que Joe Dolin sortira de prison, il aura aux yeux de la loi payé sa dette envers la société et remis les compteurs à zéro. Je ne dis pas cela pour te décourager, mais pour que tu saches à quoi t'attendre.

— Je sais exactement à quoi m'attendre, rétorqua fermement Devin. Mais rien ni personne ne m'empêchera d'offrir à Cassie et à ses enfants le foyer et la vie qu'ils méritent.

Comme si ce constat définitif suffisait à clore la discussion, Jared fit claquer ses deux mains sur ses genoux et se redressa de son siège pour gagner la sortie.

— Dev…, dit-il en se retournant vers lui sur le seuil. Je suis content pour toi. Et tu sais que je suis de tout cœur avec toi dans cette affaire. Tout comme Shane et Rafe, d'ailleurs, quoi que ces deux idiots puissent en dire.

— Merci, Jare. Je n'en doutais pas, mais je dois dire que j'apprécie beaucoup.

— Si tu arrives à t'extirper de derrière ce bureau pour une petite heure, rejoins-nous chez Duff. Je te paierai une bière pour fêter ça.

Satisfait de voir Devin hocher la tête, Jared poussa la porte avant de se raviser et de faire volte-face. Puis, comme s'il hésitait à parler, il resta quelques secondes à contempler son frère d'un air songeur.

— Cassie est une femme formidable, déclara-t-il enfin. Gentille et douce, certes, mais sans doute plus forte que tu ne l'imagines. Et sans doute plus forte qu'elle ne le sait elle-même. Si tu arrives à lui faire prendre conscience qu'elle a envie de toi autant que tu as envie d'elle, vous formerez un couple parfait, tous les deux.

Surpris autant que gêné par le tour intime que venait de prendre leur discussion, Devin se contenta de hocher la tête.

— Mais si tu veux mon avis, reprit Jared sans le quitter des yeux, Cassie n'a pas seulement besoin de savoir que tu l'aimes et que tu éprouves du désir pour elle. Cette femme se damnerait pour qu'un homme ait réellement besoin d'elle. Et cela fait douze ans que tu as besoin d'elle, Dev.

En regardant son frère refermer la porte derrière lui, Devin songea qu'avec son acuité coutumière l'aîné des MacKade avait su pointer du doigt le principal problème. Car s'il lui paraissait évident qu'il avait un besoin vital de Cassie près de lui, il ne savait pas comment le lui montrer. Devait-il, même, se résoudre à le faire ?

Avant toute autre considération passait le besoin de la chérir et de la protéger. Il n'avait pas envie que Cassie se damne pour lui. Il voulait simplement qu'elle soit heureuse et qu'elle se sente en sécurité à ses côtés. Tel était son rôle. Il devait veiller à ce qu'ils ne fussent plus jamais, elle et ses enfants, meurtris par l'existence comme ils l'avaient été. Tout le reste était sans importance, et ses besoins à lui pouvaient attendre.

Chapitre 10

Cassie ne cessait de se répéter qu'elle n'avait pas à s'en faire, puisque Devin était sain et sauf. Rafe lui-même lui avait raconté toute l'histoire, et elle savait que sa version du hold-up manqué était nettement plus crédible que toutes celles qui lui étaient arrivées aux oreilles par l'intermédiaire du téléphone. Pourtant, depuis le début de l'après-midi, elle ne cessait de se faire un sang d'encre et de sursauter à chaque nouvelle sonnerie.

La pensée que Devin avait dû faire face à un homme armé ne cessait de tourner dans son esprit. Incapable de chasser cette idée, Cassie sentit un nouveau frisson la parcourir. Sans hésiter, l'homme qui disait l'aimer avait sciemment risqué sa vie pour protéger celle d'autrui.

Jusqu'à présent, Cassie s'était imaginé que faire régner la loi et l'ordre dans une petite ville comme Antietam nécessitait bien plus de diplomatie que de courage. Les événements de la journée prouvaient à quel point elle s'était trompée. Dans le cadre de son travail quotidien, un shérif pouvait être confronté à toutes sortes de situations potentiellement dangereuses.

Que cela lui plaise ou non, Devin exerçait un métier à hauts risques. Et ce qui faisait de lui aux yeux de Vincent un héros ne faisait quant à elle que la rendre folle d'inquiétude. Par la même occasion, elle se rendait compte que l'angoisse qui l'avait minée durant tout l'après-midi ne concernait pas seulement un ami, un amant, ou un homme qu'elle admirait et envers qui elle se sentait redevable. Si elle était tellement anxieuse de la santé et de la sécurité de Devin MacKade, c'était tout simplement parce qu'elle était amoureuse de lui.

Il lui avait fallu cet événement imprévisible, effrayant, pour lui ouvrir les yeux et prendre pleinement conscience de ce fait. A présent, c'était avec un tout autre regard qu'elle considérait le passé. D'aussi loin qu'elle se rappelait, Devin avait toujours fait partie de sa vie. A sa manière, elle avait toujours compté sur lui et lui avait toujours voué une admiration sans borne. Sans doute en était-elle même arrivée à considérer sa présence auprès d'elle comme un fait acquis.

Lorsqu'il avait fallu lui avouer ce que Joe lui avait fait subir durant tant d'années, quand il avait fallu lui montrer les marques sur son corps et lui expliquer dans le détail ce qui les avait causées, elle en avait été mortifiée. Non seulement parce qu'il était le shérif, mais avant tout parce qu'il était Devin.

Pour la même raison, elle s'était toujours montrée plus timide et réservée vis-à-vis de lui que de ses trois frères. Sans doute une part de son cœur lui avait-elle toujours été secrètement réservée. Ce qui l'avait empêchée de ne voir en lui qu'un des frères MacKade, juste son meilleur ami, ou simplement le shérif de la ville.

Depuis qu'ils se connaissaient, elle ressentait à son égard quelque chose de plus fort, de plus indéfinissable et de plus troublant. Dorénavant, elle était libre de laisser ce sentiment s'épanouir en elle. Ce n'était plus seulement un morceau de son cœur qui lui était acquis, c'était son cœur tout entier.

Dès qu'elle eut fait ce constat, l'inquiétude céda le pas en elle à l'émerveillement. Ainsi donc, après toutes ces erreurs, après tant d'épreuves, elle était amoureuse d'un homme et prête à en assumer les conséquences.

Elle en était encore à tenter d'assimiler cette révélation lorsque la sonnerie du téléphone, retentissant une nouvelle fois, la fit sursauter. Comme une folle, s'attendant à entendre la voix de Devin, elle se précipita dans la cuisine.

— Hello, Cass ! lança la voix chaude et bien timbrée de Savannah lorsqu'elle eut décroché. Je suppose que tu as déjà appris la grande nouvelle.

— Difficile d'y avoir échappé.

Cassie s'adossa contre le mur et ferma les yeux.

— Jared m'a dit qu'il avait vu Devin en fin de journée, poursuivit Savannah. Figure-toi que notre héros se dit accablé par la gloire qui soudain lui tombe dessus.

Savannah, au silence de Cassie, dut comprendre dans quel état d'esprit elle se trouvait car elle ajouta aussitôt :

— Il va bien, Cass. Pas un bobo. Pas une égratignure. Juste un peu ronchon de se voir retenu au bureau par cette affaire. Et toi, comment vas-tu ?

— Moi ? s'étonna Cassie. Je vais bien. Enfin, je dois avouer que toute cette histoire m'a un peu secouée.

— Je te comprends. Lorsque Bryan m'a raconté dans le détail comment les choses s'étaient passées, je n'en menais pas large moi non plus. Mais s'il y a une chose dont nous pouvons être sûres, c'est que Devin MacKade est de taille à faire face à toutes les situations. Tu ne crois pas ?

— Tu as raison, répondit Cassie en laissant son regard s'égarer par la fenêtre située au-dessus de l'évier.

Mais pourquoi donc ne l'avait-il pas encore appelée ?

— Cassie, enchaîna Savannah sur un ton guilleret, je t'appelle pour te demander une grande faveur.

— Bien sûr…, répondit-elle, intriguée. Que puis-je faire pour toi ?

— M'éviter une crise de nerfs en nous confiant Vince pour la nuit. Depuis ce hold-up manqué, Bry est aussi survolté qu'une pile atomique. Partager son excitation avec son meilleur copain l'aiderait sans doute à canaliser son énergie.

Par la fenêtre, Cassie vit avec un sourire attendri ses deux enfants occupés à poursuivre leur chat dans le jardin.

— Il sera ravi, assura-t-elle sans hésiter. Tu es sûre que cela ne va pas vous gêner ?

Un grand bruit sourd retentit dans l'écouteur, et Savannah cria d'une voix exaspérée :

— Bryan MacKade, si tu expédies encore une fois cette balle dans les carreaux, tu n'es pas seulement expulsé du terrain, tu es exclu de la Ligue pour la saison !

Puis, revenant à sa conversation :

— J'en suis certaine, Cassie. Comme tu peux le constater, la situation est critique. Mais j'ai une autre requête à formuler : pourrais-tu aussi nous confier Emma ?

— Emma ? s'étonna Cassie, cette fois tout à fait perplexe. Tu veux inviter Emma à passer la nuit chez vous ?

— Je t'explique : Jared a dans l'idée que nous ferions bien de nous entraîner un peu pour quand Layla sera plus grande. Nous savons à peu près nous y prendre avec les garçons, mais il a peur d'être dépassé par les événements quand sa fille lui demandera de jouer à la dînette avec elle.

Savannah partit d'un rire joyeux, auquel le bébé fit écho en gazouillant derrière elle.

— Alors ? reprit-elle. Que dirais-tu de nous prêter ta fille comme sujet d'expérience ? Nous jurons de te la rendre en un seul morceau.

— Elle sera ravie, elle aussi. Mais… Avec Bryan et Layla, cela va vous faire quatre enfants sur les bras !

Savannah rit de plus belle.

— Ne t'inquiète pas pour ça, répondit-elle. C'est un autre volet de notre programme d'entraînement. Après mûre réflexion, nous pensons que le quatre est notre chiffre magique, si tu vois ce que je veux dire.

Cette fois, ce fut au tour de Cassie de rire gaiement.

— Quatre ! Dans ce cas, vous allez avoir vraiment besoin d'entraînement.

— Voyons déjà comment nous survivons à cette nuit. Tu veux bien les préparer tout de suite, Cassie ? Jared se met en route à travers bois avec Bryan. Ils peuvent être chez vous dans moins d'un quart d'heure.

— C'est d'accord, finit par consentir Cassie. Mais à condition que tu me promettes de ne pas hésiter à m'appeler, à n'importe quel moment, si jamais vous vouliez mettre un terme à l'expérience.

Le bruit caractéristique d'un objet qui tombe au sol et se brise se fit entendre dans l'écouteur, suivi aussitôt d'un juron étouffé de Savannah.

— Promis ! lança-t-elle précipitamment. Mais par pitié fais vite, avant que ma cuisine soit réduite en miettes !

Les enfants partis, leur chat et leur sac sous le bras, ravis et excités de passer la nuit au chalet, Cassie retourna auprès de ses hôtes pour s'assurer qu'ils ne manquaient de rien. Après avoir apporté dans le salon du cake et du café pour les dames, et une carafe de vin à leurs époux engagés dans un bridge acharné, elle leur souhaita une bonne nuit.

Puis, désorientée de se retrouver seule, sans rien à faire, elle décida de s'accorder quelques instants de répit sur la balancelle, à regarder le soleil disparaître à l'horizon. Toute à ses pensées, ce fut au dernier moment qu'elle aperçut la silhouette massive qui avait pris place sur le siège avant elle.

— Tu paraissais occupée…, s'excusa dans la pénombre la voix de Devin. J'ai pensé que je pouvais t'attendre ici.

Cassie poussa un soupir de soulagement.

— Je ne m'attendais pas à te voir, dit-elle. On m'avait dit que tu étais occupé en ville.

— J'ai réquisitionné Donnie au bureau pour la soirée. C'est bien le moins qu'il puisse faire après m'avoir laissé seul tout l'après-midi.

Devin lui tendit alors un grand bouquet savamment emballé de roses thé jaunes.

— En passant devant la devanture du fleuriste, expliqua-t-il, légèrement embarrassé, je me suis aperçu que je ne t'avais jamais offert de fleurs. Voilà pour réparer ce malencontreux oubli.

— Elles sont magnifiques.

— Sans doute Abigail les aurait-elle aimées aussi. Vas-tu enfin te décider à venir t'asseoir près de moi ?

Sans un mot, Cassie lui obéit, portant tendrement le bouquet dans ses bras comme elle aurait pu le faire d'un bébé.

— Je devrais aller les mettre dans l'eau…, dit-elle.

— Elles attendront bien une minute de plus, répondit Devin, intrigué par son attitude.

Plaçant un doigt sous son menton, il l'incita gentiment à lever le visage vers lui, jusqu'à découvrir les deux larmes qui glissaient lentement sur ses joues.

— Pourquoi ces larmes ? s'inquiéta-t-il en les essuyant du bout du doigt. Tu n'es pas contente de me voir ?

— Bien sûr que si ! protesta-t-elle avec véhémence. C'est juste que... J'étais si inquiète. A présent je suis soulagée.

Gênée, Cassie détourna la tête pour reporter son attention sur le coucher de soleil qui nimbait de mauve les collines boisées.

— Devin..., murmura-t-elle sur un ton de reproche. Pourquoi ne pas m'avoir appelée ?

Puis, semblant se reprendre, elle lui fit face, les yeux baissés et les joues rouges.

— Je n'aurais pas dû te demander cela, s'excusa-t-elle. Tu n'as pas de comptes à me rendre.

Amusé, Devin la fit taire en posant l'index sur ses lèvres.

— Et toi, renchérit-il, tu n'as pas à t'excuser. Tu as le droit de savoir que je t'ai appelée. De nombreuses fois. Ta ligne était toujours occupée.

— J'aurais dû m'en douter ! lança-t-elle avec un agacement assez inattendu chez elle. Ils n'ont pas cessé de me harceler, tout l'après-midi. J'ai entendu au moins douze versions différentes, toutes plus abracadabrantes les unes que les autres.

Devin émit un petit rire ironique.

— La réalité te paraîtra sans doute moins excitante.

— Ce bandit avait une arme, n'est-ce pas ? Tu savais

qu'il était armé, et pourtant tu n'as pas hésité à pénétrer seul dans la banque.

— Je devais faire mon devoir, Cass. Il n'aurait pas pu aller bien loin, étant donné que le sac que s'apprêtait à lui remettre la caissière était équipé d'un système de sécurité qui les aurait aspergés de peinture rouge, lui et les billets. En fait, je regrette un peu d'avoir fait capoter cette partie du show ! Si j'ai préféré le neutraliser moi-même, c'est qu'il y avait toujours un risque qu'il blesse quelqu'un dans sa fuite.

— C'est toi qu'il aurait pu blesser.

— Tu n'as donc pas entendu dire que les balles rebondissent sur ma poitrine ?

Au lieu de la faire rire, la plaisanterie arracha à Cassie un frisson de peur rétrospective. Frileusement, elle se pelotonna contre lui et posa sa tête sur son épaule.

— Je suis tellement heureuse que tu n'aies rien. Tellement heureuse que tu sois là.

Après avoir passé un bras derrière les épaules de Cassie, Devin lança d'un coup de pied la balancelle.

— Et moi donc. Je serais venu plus tôt si j'avais pu.

— Je sais, intervint Cassie. Les journalistes n'ont pas cessé de te harceler. Tu as même eu les honneurs du journal télévisé.

Dans la pénombre, Devin fit la grimace.

— Oui, c'est ce qu'on m'a dit.

— Tu n'as pas vu le reportage ? s'étonna-t-elle en se redressant.

— Pour quoi faire ? Je sais à quoi je ressemble.

La voix était un peu trop bourrue, et Cassie connaissait bien, pour l'avoir trop souvent adoptée, cette expression de timidité maladive qu'arborait à présent le visage de Devin.

— Excuse-moi…, dit-elle. Je ne voulais pas t'embarrasser.

Avec une moue boudeuse, Devin haussa les épaules.

— Mais je ne le suis pas ! protesta-t-il. Enfin peut-être un peu quand même.

Et cela le rendait encore plus séduisant… Cassie le dévora des yeux. Bien mieux que séduisant — adorable.

— Devin…, murmura-t-elle en se penchant pour l'embrasser. Je suis affreusement fière de toi. En fait, Vince était tellement excité à l'idée de te voir à la télé qu'il a enregistré le journal. Veux-tu que nous le regardions ensemble ?

— Je m'en passerai volon…

Sans lui laisser le temps d'achever, elle posa de nouveau ses lèvres sur les siennes, avec un peu plus de force, avec une exigence nouvelle, jubilant soudain de sentir à cette caresse le souffle de Devin s'accélérer.

— Moi, confia-t-elle à mi-voix, je l'ai regardé trois fois. Je ne m'étais jamais rendu compte avant de te voir sur l'écran à quel point tu ressembles à une star de cinéma !

— Tu ne dois pas aller assez souvent au cinéma.

Les paumes moites, la tête lourde, le sang courant dans ses veines comme un fleuve en crue, Devin préféra se lever de la balancelle et fourrer nerveusement les mains dans ses poches.

— A ce propos, reprit-il un peu trop vivement, je me disais justement que nous n'étions jamais sortis ensemble.

— Je n'ai pas besoin de rendez-vous romantiques, Devin. Je suis très heureuse de la façon dont les choses se passent entre nous.

Tout en marchant de long en large devant elle, Devin avait bien du mal à garder son calme. Pourquoi diable le regardait-elle ainsi ? Ce regard qu'elle dardait sur lui, il était certain de ne le lui avoir jamais connu. Il aurait aimé ne déceler dans ses yeux que de l'admiration, ou même de l'ironie à son égard, mais il avait bien peur de n'y découvrir que du désir.

— Je… euh…, marmonna-t-il pour briser le silence plein de sous-entendus qui s'était établi entre eux. J'ai rapporté toute cette nourriture que les gens m'ont offerte — des tartes, des petits plats, des gâteaux. J'en ai donné une partie à Donnie mais je…

Voyant Cassie se lever à son tour et faire un pas vers lui, un sourire mystérieux jouant sur ses lèvres, Devin battit en retraite.

— Je me disais, poursuivit-il vaillamment, que les enfants pourraient…

— Ils ne sont pas là, l'interrompit Cassie. Jared et Savannah les ont invités à passer la nuit au chalet.

Devin s'entendit marmonner bêtement :

— Ils ne sont pas là.

Sur les lèvres de Cassie, qui avait encore avancé d'un pas, il aurait juré avoir vu passer un sourire de triomphe.

— Non, répondit-elle tranquillement. Jusqu'à demain matin, nous sommes seuls.

Mentalement, Devin s'était préparé à la nécessité de ne demeurer qu'un petit moment auprès d'elle. Pour rien au monde il n'aurait voulu passer la nuit dans l'appartement de Cassie, avec ses enfants dormant dans les pièces voisines. Aucun d'entre eux n'était encore prêt pour cela.

Mais comme par un fait exprès, Vincent et Emma n'étaient pas là. Fugitivement, Devin se demanda si

Jared et sa femme avaient intentionnellement arrangé cette invitation, avant de jeter cette interrogation aux oubliettes. Après tout, peu importait ! Seul comptait le fait qu'il était seul avec la femme qu'il aimait depuis douze ans passionnément, avec la perspective de passer toute une nuit entre ses bras.

Un éclair de pur désir fulgura en lui, auquel il s'efforça de rester insensible.

— Dans ce cas, dit-il après un long soupir, que dirais-tu d'un bon restaurant ? Après, nous pourrions aller danser.

Acculé contre la rambarde, Devin se retrouva nez à nez avec Cassie.

— Je n'ai pas envie d'aller au restaurant, dit-elle sans le quitter des yeux. Je n'ai aucune envie de danser. Je veux juste que nous fassions l'amour.

Cette sortie, pour le moins inattendue, eut le don d'étouffer dans la gorge de Devin toute velléité de protestation. Dressés l'un contre l'autre sous la pergola, avec la nuit pour seul témoin et un bouquet de roses pour les séparer, ils demeurèrent un long moment silencieux.

Finalement, un peu tremblante, la main de Devin s'éleva à la hauteur du visage de Cassie pour lui caresser doucement la joue.

— Cassie…, murmura-t-il. Je ne m'attends pas à ce que nous faisions l'amour chaque fois que je viens ici. Ce n'est pas la seule raison pour laquelle je viens te voir, tu sais.

— Je sais.

Après l'avoir prise dans la sienne, Cassie retourna la main de Devin et déposa un baiser sur sa paume.

— Mais c'est pourtant ce dont j'ai envie ce soir, conclut-elle sur un ton définitif. Montons à présent. Je crois qu'il vaudrait mieux mettre ces fleurs dans l'eau.

Partagé entre l'espoir et l'abattement, Devin la suivit sans mot dire dans l'escalier de service jusqu'à son appartement. Dans la cuisine, il la regarda remplir d'eau un grand vase en cristal.

— Je l'ai acheté chez Regan, expliqua-t-elle. Je commence tout juste à m'habituer à avoir un peu d'argent pour m'acheter des choses qui me plaisent.

Avec un petit rire insouciant, elle ajouta :

— Je dois dire que cela ne me rend même plus coupable de le faire.

Appuyé de l'épaule contre le chambranle de la porte, comme s'il n'était pas encore décidé à entrer, Devin protesta :

— Tu n'as pas à te sentir coupable. De quoi que ce soit.

— Oh ! protesta-t-elle. De quelques petites choses, quand même.

Tandis qu'elle disposait dans le vase les longues tiges des roses, Devin ne pouvait détacher son regard de ses mains frêles, douces et efficaces.

— Mais je ne me sens plus coupable de me faire plaisir, reprit-elle en levant les yeux pour chercher les siens. Grâce à toi. Tu m'as fait éprouver des sentiments, des émotions, que je n'aurais jamais imaginé pouvoir connaître un jour. J'ai presque vingt-neuf ans, mais tu es le premier homme qui m'ait jamais caressée avec tendresse, douceur et respect. Je veux sentir tes mains sur mon corps, Devin. Encore…

Tant bien que mal, Devin résistait à l'impulsion qui le poussait vers elle. S'il n'avait tenu qu'à lui, s'il n'avait pas tellement craint de perdre le contrôle de son désir, il lui aurait donné satisfaction sans hésiter. Pourtant, il lui fallait aussi lutter contre la désagréable impression d'avoir affaire à une tout autre femme. Etait-ce véritablement Cassie, la jeune femme timide et réservée qu'il aimait depuis tant d'années, qui tentait de le séduire ainsi ?

Confrontée au silence obstiné de Devin, Cassie lutta contre les larmes qui lui montaient aux yeux en reportant son attention sur le bouquet.

— Bien sûr, reprit-elle, je comprendrais fort bien que tu n'aies pas envie de moi et que tu préfères…

— Bon Dieu, Cassie !

La colère et la frustration de Devin avaient explosé d'un coup, sans qu'il pût rien faire pour les contenir. Alarmée, Cassie releva la tête, les yeux écarquillés. La voyant faire, Devin se mordit la lèvre et fit un pas vers elle.

— Par pitié, Cass, prenons la voiture et allons faire un tour. La nuit est douce et la lune est en train de se lever. J'aimerais tant aller faire une promenade avec toi.

Cette fois, Cassie était certaine qu'elle s'était fourvoyée. Sans doute avait-elle commis quelque erreur, mais elle n'arrivait pas à mettre le doigt dessus. Décidément, songea-t-elle avec amertume, on pouvait dire que le rôle de femme fatale n'était pas fait pour elle.

— Très bien, approuva-t-elle en baissant de nouveau les yeux. Si c'est ce que tu désires.

Devin connaissait cette humilité, cette soumission, dans le ton de sa voix. Pour rien au monde il n'aurait voulu en être la cause.

— Cassie…, plaida-t-il d'une voix bouleversée. Ce n'est pas que je n'ai pas envie de toi ! C'est juste que… Je dois être plus secoué par ce qui s'est passé ce matin que je ne le pensais. Enfin bref, conclut-il de manière abrupte, je crois préférable de ne pas te toucher pour le moment.

— Pourquoi ?

— Parce que je me sens trop nerveux, et que cela n'arrange rien de te voir me regarder ainsi.

— Tu es en colère contre moi ?

— Non.

Jurant sourdement de ne parvenir qu'à rendre la situation plus inextricable encore, Devin croisa les mains derrière le dos et se mit à déambuler dans la pièce comme un fauve en cage.

— Le jour où je serai en colère contre toi, reprit-il, je te le dirai franchement. Tu ne te rends pas compte que tu me rends dingue, à me regarder ainsi ? Avant, j'aurais pu supporter cela sans broncher. Mais depuis que nous… Sortons d'ici, avant que je te prenne au mot et que je te mange toute crue.

— Nous n'irons nulle part.

Ferme et définitive, la réponse de Cassie les surprit tous deux.

— Tu ne comprends donc pas ? gémit Devin.

— C'est toi qui ne comprends pas, l'interrompit Cassie. J'ai fort bien saisi ce que tu viens de me dire. Tu penses que je suis trop fragile pour supporter la force de ton désir. Tu me penses trop délicate pour pouvoir t'accepter tel que tu es. Eh bien, tu te trompes.

Soudain forte et sûre d'elle-même comme il ne lui était jamais arrivé de l'être, Cassie marcha d'un pas décidé jusqu'à Devin et se planta fermement devant lui.

— Ainsi, dit-elle sur un ton accusateur, chaque fois que nous avons fait l'amour, ce n'était pas pour toi.

— Qu'est-ce que tu racontes ? protesta Devin. Bien sûr que si c'était pour moi.

— Non ! C'était pour moi.

Tout en parlant, Cassie le dévisageait comme si, pour

la première fois, elle le rencontrait vraiment. De lui, de ses mains, de ses yeux, de son corps, émanait une force brute. Et cette force n'avait rien d'une image glacée dans un magazine, ou de la tiède perfection d'un prince charmant de conte de fées. D'un homme aussi fort, aussi viril, on ne pouvait attendre que des désirs à la mesure de son physique.

— Tu t'es montré tellement attentionné avec moi, murmura-t-elle, tellement patient. Personne ne m'avait jamais traitée ainsi.

— Je sais.

Et pour bien le lui montrer, Devin prit garde à rendre sa main toute douce lorsqu'il l'éleva jusqu'à ses cheveux, enfouissant avec volupté ses doigts dans ses boucles blondes.

— Tu n'as rien à craindre de moi. Il ne faut pas.

— Ne me traite pas comme une enfant !

Avec une force étonnante, Cassie enserra entre ses mains le visage de Devin.

— Tu te retenais ! lança-t-elle en détachant soigneusement chaque syllabe. Chaque fois que nous avons fait l'amour, tu t'es retenu. Et moi, j'étais bien trop éblouie pour m'en apercevoir.

— Après ce que tu as vécu, tu n'as besoin de rien d'autre que de tendresse.

— Ne me dis pas ce dont j'ai besoin !

Il y avait à présent de l'impatience et de la colère dans le ton de sa voix, dans le fond de ses yeux.

— Tout au long de mon existence, poursuivit-elle, on n'a cessé de me dire ce qui était bon pour moi. Oui, j'ai besoin de tendresse ! Mais j'ai aussi besoin qu'on me traite avec confiance, avec respect. J'ai besoin que l'on me traite comme une femme — une femme comme toutes les autres, ni plus, ni moins.

Aussi doucement qu'il le put, Devin saisit les poignets de Cassie pour libérer son visage de son emprise. Fermant les yeux pour mieux résister à la vague de désir qui montait en lui, il lui embrassa religieusement les paupières, les sourcils, puis le front.

Cassie, d'un geste brusque de la tête, mit fin à ces baisers.

— Embrasse-moi comme tu le désires ! dit-elle d'une voix grondante de colère. Je ne suis ni une icône, ni une sainte-nitouche.

Pour bien le lui prouver, elle l'embrassa avec une fougue rageuse qui arracha à Devin un grognement de protestation. Un sentiment de triomphe la submergea. Cela n'avait duré qu'une seconde, le temps qu'il se reprenne, mais elle était bien certaine d'avoir ressenti la déflagration de plaisir que son initiative avait provoquée en lui.

— Montre-moi ce que c'est…, murmura-t-elle sans cesser de dévorer ses lèvres de baisers. Montre-moi qui tu es quand tu te laisses aller, quand tu arrêtes de penser, de te contrôler.

Avec un soupir désespéré, Devin fondit sur sa bouche comme un rapace sur sa proie. Aussi curieuse que ravie, Cassie se livra tout entière à ce baiser, si semblable à celui qu'il lui avait volé, la première fois, dans le salon. Le seul moment, en réalité, où il s'était livré à elle, sans se censurer.

De nouveau, Cassie sentit couler en elle cette force nouvelle, cette enivrante sensation de puissance liée à la certitude de pouvoir faire, de pouvoir être, ce que bon lui semblait.

Lorsque Devin, dans une tentative pour se reprendre, mit fin au baiser, elle s'accrocha fermement de ses bras à son cou, de ses lèvres à sa bouche.

— Par pitié, Cassie.

— Encore !

Avec une force surprenante, elle glissa ses doigts dans ses cheveux et ramena ses lèvres contre les siennes.

— Embrasse-moi encore comme cela…, ordonna-t-elle sans le quitter des yeux. Montre-moi ce que c'est. J'ai attendu ce moment toute ma vie.

Avec une hâte fiévreuse, elle laissa courir ses doigts contre la nuque, le long du dos, et jusqu'à la poitrine frémissante de Devin, sous laquelle battait son cœur. Sentant sa propre raison chavirer, livrée à un besoin impérieux et aussi vieux que le monde, elle se hissa sur la pointe des pieds jusqu'à son oreille et murmura :

— Devin. Je t'en prie, cesse de ne penser qu'à moi. Montre-moi quel homme tu es. Montre-moi ce que c'est que d'être ta femme.

Devin aurait juré avoir entendu quelque chose se briser en lui, un barrage rompre ses digues, un ressort trop longtemps comprimé brusquement se détendre et l'emplir tout entier. Alors, plus rien ne compta que cet élan primordial, brut et sauvage, qui s'écoulait à flots, comme un courant vital, réduisant d'un coup à néant des années d'autodiscipline.

Tout à sa faim dévorante de goûter la peau de Cassie, il écarta d'un geste brusque les deux pans de son chemisier. Le bruit de la soie déchirée aurait dû lui faire reprendre ses esprits, mais son grognement de plaisir, sa façon d'arquer le torse, la tête rejetée en arrière, pour mieux s'offrir à lui, lui firent comprendre que c'était le désir, et non la peur, qui la faisait frissonner.

Sans effort, il la souleva dans ses bras pour la mener jusqu'à sa chambre. Sa bouche affamée ne cessait de se repaître de ses lèvres, de la peau de son cou, de ses seins offerts. Ils étaient encore dans le hall, et les dents de Devin mordillaient les pointes de ses seins dressées, lorsque Cassie sentit la vague à présent familière de l'orgasme enfler en elle, avec une force et une rapidité stupéfiantes. Abdiquant toute fierté pour s'abandonner à l'urgence de son plaisir, Cassie se redressa, passa les bras autour du cou de Devin, les jambes autour de ses hanches.

Pantelant de désir, incapable de différer plus longtemps l'instant de leurs retrouvailles, Devin se laissa glisser avec elle sur le sol. Ils y roulèrent longuement, agrippés l'un à l'autre, comme deux bêtes furieuses luttant au corps à corps. Dans le petit hall plongé dans la pénombre, il n'y eut plus dès lors qu'une mêlée confuse de membres enlacés. L'heure n'était plus aux murmures et aux soupirs. Dans un concert de grognements d'impatience, de gémissements rauques et de halètements, ils se donnèrent l'un à l'autre, avec la parfaite impudeur des amants ivres de leur amour.

Devin sentit les larmes inonder son épaule dès l'instant où son corps comblé retomba d'une masse sur celui de Cassie. Alors qu'il amorçait le geste de se redresser, elle encercla fermement son dos de ses bras, ses hanches de ses jambes, lui interdisant tout mouvement.

— Devin…, gémit-elle doucement. Je t'en prie, ne bouge pas.

— Je suis désolé.

Il avait conscience de l'inanité de ses propos mais, dans l'instant, rien d'autre ne lui venait à l'esprit pour tenter de la consoler, pour essayer d'excuser sa conduite.

— Je… J'avais promis de ne jamais te faire de mal. Je suis désolé.

— Sais-tu ce que tu as fait ? demanda-t-elle d'une voix bouleversée. Tu as tout oublié.

— Oublié ?

Désorienté, Devin tenta une nouvelle fois de se redresser. Mais une fois encore, Cassie le retint serré tout contre elle.

— Tu as oublié d'être prudent, poursuivit-elle sur le même ton. Oublié d'être responsable, gentil, aimable. Tu as tout oublié. Je n'aurais jamais imaginé pouvoir un jour t'y amener. Si tu savais comme je me sens…

Contre l'oreille de Devin, un soupir de bien-être s'éleva des lèvres de Cassie.

— … puissante ! acheva-t-elle dans un souffle.

— Puissante ?

De plus en plus troublé, Devin avait la gorge sèche et les membres rompus de fatigue. Avant toute chose, il aurait voulu la prendre dans ses bras pour la mener enfin jusqu'à sa chambre, dans son lit, où il aurait pu la choyer, la caresser, la réchauffer, et tenter de lui faire oublier qu'il avait pu lui faire l'amour à même le sol. Mais le mot qu'elle venait de prononcer, l'intonation qu'elle avait eue pour le faire, l'emplissaient d'un mélange d'étonnement et de crainte respectueuse qui le figeait sur place.

— Si tu savais comme je me sens forte à présent, reprit Cassie d'une voix plus assurée. Tellement plus belle, tellement plus femme, et tellement plus… sexy !

Laissant ses bras glisser mollement le long du dos

de Devin, Cassie tenta d'étouffer sous sa main un petit gloussement ravi.

— Et je dois dire, conclut-elle avec un ronronnement de plaisir, que j'aime ça.

Libre enfin de se redresser, Devin découvrit son visage avec un pincement au cœur. Les traits détendus, les paupières closes, les lèvres pleines incurvées en un énigmatique sourire, Cassie était plus belle que jamais. Bien loin de l'accablement et de la souffrance auxquels il s'était attendu, elle ressemblait après avoir succombé trois fois au plaisir entre ses bras à quelque déesse de l'amour, détentrice de puissants et dangereux secrets.

Echevelé, en sueur, peinant à retrouver son souffle et à discipliner les battements de son cœur, c'était un tout autre spectacle qu'il devait quant à lui offrir à ses yeux. A cet instant, il eût été difficile de déterminer qui des deux avait ravagé l'autre.

— Tu aimes ça…, répéta Devin, comme s'il ne parvenait pas à en croire ses oreilles.

— Mmm. Je veux que nous recommencions souvent. Encore et encore.

Cassie ouvrit les yeux. Un rire espiègle fusa de ses lèvres lorsqu'elle eut découvert l'ébahissement que trahissait le visage de Devin.

— Finalement j'y suis arrivée, à te séduire.

Devin, se prêtant au jeu, eut une moue dépitée.

— Tu m'as anéanti. Dire que j'ai pu arracher tes vêtements.

— Ce n'est rien, assura-t-elle avec un nouveau rire. C'était tellement excitant ! Tu le feras encore ?

— Seulement si tu es sage.

— Et moi, est-ce que je pourrai arracher les tiens ?

Les mots le trahirent. Incapable d'émettre un son autre qu'un borborygme étranglé, Devin préféra lui répondre d'un baiser, avant de suggérer :

— Nous ferions mieux d'aller dans la chambre, maintenant.

— Pourquoi ? s'étonna Cassie, en toute innocence. On est bien ici. J'aime l'idée que tu avais tellement envie de moi que tu n'as pas pu attendre.

D'un doigt distrait, elle s'amusa avec les boucles qui lui retombaient sur le front.

— J'aime aussi la façon dont tu me regardes juste à l'instant, reprit-elle d'une voix rêveuse. C'est sans doute mal — et je m'en fiche — mais j'aime également penser que depuis des années, dans tes rêves, tu m'as imaginée, et désirée ainsi.

— Tu exagères…, protesta-t-il. Ce n'était pas exactement ainsi que je voyais les choses.

— En es-tu certain ? demanda-t-elle avec un sourire plein de malice.

Avec le sentiment d'être passé de l'autre côté du miroir, dans un pays où les rôles auraient été inversés, Devin se sentit rougir et préféra détourner les yeux.

— Pas tout à fait, non, avoua-t-il à mi-voix.

Les yeux brillants, Cassie passa une langue gourmande sur ses lèvres encore rouges et gonflées de désir.

— Je peux encore te sentir sur mes lèvres.

— Oh ! Cassie.

Lorsqu'elle sentit le sexe de Devin durcir de nouveau en elle, Cassie fut traversée par un bref et délicieux frisson de plaisir.

— Voilà que je recommence…, lui glissa-t-elle à l'oreille.

— Pardon ?

— … à te séduire.

Pour toute réponse, il se mit à se mouvoir doucement entre ses jambes. Tranquillement, Cassie ondula du bassin pour le rejoindre dans ce rythme qu'ils connaissaient à présent si bien tous les deux.

— Dis-moi que tu m'aimes, supplia-t-elle en refermant autour de lui le piège de ses jambes et de ses bras. Dis-le-moi, pendant que tu es en moi, pendant que tu me désires.

Devin enfouit son visage dans les cheveux de Cassie. Il le savait, il était inutile de résister à ce qui venait de se passer. D'une manière ou d'une autre, d'une façon qui n'appartenait qu'à elle, cette femme étonnante avait réussi à se métamorphoser et à prendre en main les rênes de leur relation.

— Je t'aime ! gémit-il en sentant déjà une nouvelle marée de plaisir enfler en lui. Oh ! Comme je t'aime.

Satisfaite, Cassie se laissa emporter elle aussi par cette mer de sensations détonantes et délicieuses dont il lui semblait, à présent, qu'elle ne pourrait jamais se rassasier. Lorsqu'elle sut qu'ils étaient sur le point de chuter, de dévaler l'un et l'autre à toute vitesse cette montagne qu'ils venaient de gravir ensemble, elle s'empressa de lui murmurer à l'oreille :

— Je t'aime, Devin. Je t'aime ! Il me semble que je t'ai toujours aimé.

Il fallut à Devin le temps de récupérer son souffle et ses esprits avant de pouvoir enfin lui sourire.

— Cela fait douze ans, dit-il, que je rêvais d'entendre cela.

La voyant frissonner, il la souleva dans ses bras, comme

une jeune mariée, et la mena jusqu'à sa chambre, où il défit le lit pour qu'ils puissent l'un et l'autre confortablement s'y pelotonner.

— Mais même si cela représente un sacré bail, reprit-il, je crois que cela valait la peine d'attendre. En fait, tu viens de réduire mon beau plan à néant.

— Que veux-tu dire ? s'étonna-t-elle en se redressant sur un coude.

Devin eut un sourire amusé.

— Dans ma petite tête, expliqua-t-il, j'avais imaginé de me débrouiller pour que tu sois amoureuse de moi avant Noël. Alors, sans brusquer les choses, à un pas tranquille et rassurant, j'aurais fini par te parler mariage au printemps. A présent, il me semble que ces échéances n'ont plus lieu d'être.

Avec surprise, Devin vit passer une lueur d'affolement dans le regard de Cassie.

— Ne parlons pas mariage, supplia-t-elle. Pas maintenant. Pas encore.

— Alors quand ?

— Je ne sais pas. Le mariage n'est pas forcément la seule réponse, ni la meilleure solution.

Avant qu'elle ne détourne les yeux, Devin avait eu le temps d'y retrouver le regard de l'ancienne Cassie, celle qui depuis tant d'années lui était inaccessible. Aussi brutalement qu'elle s'était ouverte, la parenthèse enchantée semblait se refermer derrière eux, et chacun reprenait son rôle.

— Le mariage, dit-il en s'efforçant d'ignorer sa déception, est la bonne réponse pour les gens qui s'aiment et veulent bâtir leur vie ensemble.

Il faillit lui parler de l'intérêt des enfants mais se retint juste à temps. Il n'eût pas été très correct de sa part d'utiliser Emma et Vincent pour plaider sa cause.

— Tout ce que je veux, reprit-il, c'est te rendre heureuse.

Comme un chat qui s'étire, Cassie vint se blottir tout contre lui, sa tête reposant douillettement dans le creux de son cou et ses doigts jouant distraitement dans la toison de sa poitrine.

— Je le sais…, répondit-elle avec un soupir de bien-être. Et je le suis. C'est tellement miraculeux. Jamais je n'aurais imaginé connaître un jour un tel bonheur. Pourquoi ne pas nous en contenter pour l'instant ?

Sans lui répondre, Devin la serra tendrement contre lui et ferma les yeux. Cassie l'aimait. Cassie était blottie nue contre lui. Déjà, à son souffle qui s'apaisait, il la sentait glisser dans le sommeil, en toute confiance, entre ses bras. Ce bonheur-là, lui non plus n'aurait jamais osé penser le connaître un jour. Mais, contrairement à elle, il était bien décidé à ne pas s'en contenter.

Chapitre 11

L'école avait fermé ses portes, et, pour deux jeunes garçons pleins de vie, cela rendait l'avenir aussi radieux que possible jusqu'à la fin de l'été. Les bois hantés qui séparaient le chalet de la Résidence MacKade constituaient une permanente invitation à l'aventure. Là, ils pouvaient tout à loisir partir à la chasse aux fantômes, guetter les échos de canonnades depuis longtemps éteintes, ou traquer dans l'humus et les ronces les traces plus tangibles que la guerre y avait abandonnées.

Vincent possédait une collection de reliques que Bryan lui enviait. Entre autres trésors, il y avait plusieurs balles fossilisées, semblables à de petits cailloux, un bouton doré ayant survécu à l'uniforme qu'il avait orné, et mieux encore, le triangle de métal terni d'un éperon, que Cassie avait déterré dans le jardin de la Résidence.

Pour Vincent, ces vacances s'annonçaient sous un jour inédit, qui l'emplissait de plaisir et d'une excitation difficile à contenir. L'année précédente, lorsqu'ils avaient déménagé au second étage de la vieille maison Barlow, il lui était arrivé de craindre encore que ce bonheur tout neuf qui leur était donné pût un jour cesser.

Dorénavant, ces craintes l'avaient quitté. Il savait que de longs jours lumineux et chauds l'attendaient, en compagnie de son meilleur ami, avec la certitude de rentrer le soir dans un foyer sûr et douillet, où nul ne pouvait surgir à tout moment, ivre mort, la rage au ventre et les poings serrés.

Lorsqu'elle ne pouvait le voir, il ne se lassait pas de constater sur sa mère les effets de cette nouvelle vie. Ses yeux n'étaient plus jamais accablés de tristesse et de fatigue, et elle avait ri au cours de l'année écoulée bien plus qu'il ne l'avait entendue rire depuis qu'il était né. Il aimait également la façon qu'elle avait à présent de décorer leur maison de jolies choses — toutes ces fleurs, ces bibelots, ces babioles anciennes de verre teinté que Regan lui vendait.

Bien sûr, il gardait pour lui ces petits ravissements. Les autres se seraient bien moqués s'ils avaient su qu'il se laissait avoir par ces trucs de filles. Mais pas Bryan. Bryan était le meilleur des amis. Bryan aimait écouter les histoires qu'il inventait. Bryan savait garder un secret. Bryan était comme son frère. Ils avaient officialisé la chose lors d'une cérémonie rituelle, dans les bois, au cours de laquelle ils s'étaient mutuellement piqué le doigt, avant de mêler leurs sangs.

Depuis qu'ils étaient libérés de l'école et des livres, ils avaient passé pas mal de temps dans la cabane perchée dans les arbres que Jared avait construite non loin du chalet. De nombreuses heures avaient également été consacrées à d'intensifs entraînements de base-ball sur les pelouses de la Résidence. Lorsqu'ils voulaient se détendre, ils coupaient à travers bois jusqu'à la ferme MacKade. Comme Bryan le disait toujours, Shane était vraiment cool de les laisser jouer avec les chiens, observer les animaux, ou s'inventer des missions secrètes dans la vieille grange.

Mais c'était dans la pénombre mystérieuse des sous-bois, la plupart du temps, qu'ils finissaient leurs journées. Et cette nuit-là, après y avoir travaillé d'arrache-pied, ils avaient fini par convaincre leurs parents de les laisser camper, juste tous les deux, au plus profond des bois hantés.

Devin leur avait prêté sa vieille tente. Vincent le savait, c'était lui qui leur avait sauvé la mise. Cassie s'était montrée réticente à l'idée de laisser deux garçons de dix ans livrés à eux-mêmes, en pleine nature, toute une nuit. Devin avait su la convaincre en parlant de rites de passage, d'ancrages de la mémoire, et d'accès aux responsabilités de l'âge adulte. Vincent n'avait pas tout compris, mais il savait qu'il devait au shérif MacKade la plus belle nuit de sa vie.

Avec un luxe de précautions, comme Devin leur avait dit de le faire, ils avaient allumé un feu dans un cercle de pierres, sur un terrain dégagé. Pour l'heure, ils étaient occupés à y faire griller des hot dogs et des marshmal-lows. Cassie leur avait donné du jus de fruits mais Devin, sans qu'elle s'en aperçoive, avait glissé dans leur sac un pack de Cocas, leur recommandant de bien ramasser tous leurs détritus pour les jeter dans le container de la ferme le lendemain matin.

Leurs sacs de couchage les attendaient déjà, soigneusement déroulés dans la tente. La lune au demi-quartier brillait au-dessus de leurs têtes, dans un ciel sans nuages. Dans le lointain résonnaient des hurlements de chiens et des cris de hiboux. Le feu craquait, illuminait la clairière et leurs visages de lueurs dansantes. Une odeur de viande grillée flottait dans l'air et un marshmallow brûlant lui emplissait la bouche. Vincent était au paradis.

— Qu'est-ce qu'on est bien ! lança-t-il après avoir avalé à grand-peine sa bouchée.

— C'est vraiment cool.

Fasciné, Bryan regardait la saucisse prendre lentement une teinte noirâtre au bout de son bâton. C'était ainsi qu'il les aimait.

— En fait, renchérit-il, on devrait faire ça toutes les nuits.

Vincent savait que camper dans les bois n'aurait plus rien de magique s'ils le faisaient toutes les nuits mais il se garda bien de le dire, préférant ajouter :

— Le shérif MacKade m'a raconté que lui et ses frères campaient souvent dans les bois quand ils avaient notre âge.

Sans interrompre sa contemplation, Bryan hocha gravement la tête.

— C'est sans doute pour ça que p'pa aime tant s'y promener.

Bryan adorait appeler p'pa son père adoptif. Il avait été tellement privé de la possibilité de prononcer ce mot qu'il l'utilisait à présent le plus souvent possible. Sans oublier toutefois de le faire avec la nonchalance qui convenait.

— M'man aussi, ajouta-t-il pour faire bonne mesure. Si tu savais. Ils arrêtent pas de s'embrasser, tous les deux.

Les yeux fermés, les bras serrés contre lui, Bryan se lança dans une série de bruits de bouches qui suscitèrent aussitôt les rires enthousiastes de Vincent.

— Ça me tue, reprit Bryan avec animation, que les grands aiment tant s'embrasser sur la bouche. Je ne vois pas ce que ça a de si cool. Je crois que je pourrais vomir si une fille se risquait à me faire ça. Dégoûtant !

— Révoltant ! renchérit Vincent. Surtout quand ils mettent la langue.

Cette utile précision suscita chez Bryan une parodie de vomissement des plus réalistes qui les fit tous deux s'écrouler de rire.

— Shane est tout le temps en train d'embrasser des filles, reprit Vincent en roulant des yeux consternés. J'ai entendu ton père dire une fois que c'était une vraie maladie chez lui.

— Je dirais plutôt que c'est incompréhensible, répondit Bryan avec un haussement d'épaules. Il a déjà tant à faire avec ses animaux, les champs, la ferme, les machines, qu'est-ce qu'il a besoin en plus de s'encombrer avec des filles ? Quand il en voit une, il a tout de suite ce drôle de regard — comme quand Devin regarde ta mère.

Soudain très pâle, Vincent lança à son ami un regard dur.

— Qu'est-ce que tu veux dire ?

— Qu'il en pince pour elle, répondit innocemment Bryan. Ne me dis pas que tu ne t'en étais pas aperçu.

Très concentré, il retira sa saucisse du feu et souffla prudemment sur le bout, avant d'y mordre à belles dents.

— Il y a des signes qui ne trompent pas, ajouta-t-il en mâchouillant la viande carbonisée. Il est tout le temps après elle. Et puis il lui apporte des fleurs, c'est toi qui me l'as dit.

Vincent secoua la tête d'un air buté. Dans sa bouche, un goût amer avait gâché la saveur des marshmallows grillés.

— Ça ne veut rien dire…, protesta-t-il faiblement. S'il vient souvent à la maison, c'est pour prendre de nos nouvelles, pour s'occuper de nous, parce qu'il est le shérif.

Trop absorbé par son hot dog, Bryan ne remarqua pas la panique dans les yeux de son ami.

— Bien sûr, dit-il en riant. Il prend soin de vous. C'est sans doute comme ça que tout a commencé, qu'il a fini par tomber amoureux d'elle.

Comme frappé par une évidence, Bryan releva la tête, les yeux brillants et le sourire radieux.

— Hey ! lança-t-il gaiement. S'ils se marient tous les deux, on sera à la fois cousins et frères de sang. Qu'est-ce que tu dis de ça ?

— Ma mère n'épousera personne !

Surpris par l'éclat de voix de Vince, aussi sec et tranchant qu'un coup de fouet, Bryan sursauta et faillit en lâcher sa saucisse grillée.

— Qu'est-ce qui te prend ? fit-il, interloqué.

Vincent bondit sur ses pieds, les poings serrés et les yeux étincelant de colère.

— Tu mens ! cria-t-il. Devin ne vient nous voir que parce qu'il est le shérif, et parce qu'il veut s'assurer que tout va bien pour nous. Retire ce que tu as dit. Tout de suite !

En temps normal, Bryan se serait exécuté sans problème. Mais l'humeur belliqueuse de son ami, si peu habituelle chez lui, ne fit que titiller la sienne.

— Reviens sur terre ! lança-t-il crânement. Tout le monde peut voir que Devin MacKade a le béguin pour ta mère.

Avant que Bryan ait rien pu faire pour se protéger, Vincent avait bondi sur lui. Agrippés l'un à l'autre, ils roulèrent dans la poussière. Le premier effet de surprise passé, malgré les coups de poing dont Vincent lui bourrait les côtes, Bryan eut tôt fait de reprendre le dessus.

— Tu te rends ? demanda-t-il, assis sur le ventre de son ami, un poing menaçant levé au-dessus de lui.

— Jamais !

Au prix d'un dernier sursaut de fierté et d'énergie, Vincent s'agrippa à lui et réussit à le déstabiliser. Dans un concert de grognements, de souffles précipités, d'injures et de cris, ils roulèrent emmêlés l'un à l'autre jusque dans un roncier où ils se lacérèrent copieusement membres et vêtements.

De nouveau, Bryan eut le dessus et domina Vincent de son poing levé. Mais avant d'avoir eu le temps de lui demander s'il se rendait, la terreur le figea sur place. Juste à côté d'eux, il aurait juré avoir entendu quelque chose, un soupir déchirant, à fendre l'âme, semblable à celui d'un agonisant.

— Vince..., chuchota-t-il, tous les sens aux aguets. T'as entendu ce que j'ai entendu ?

— Oui.

Vincent n'avait pas relâché son emprise, mais il était lui aussi tombé en arrêt, ses yeux ne cessant de rouler de gauche à droite dans la crainte de ce qu'ils allaient découvrir.

— Ça semblait réel et irréel à la fois, lâcha-t-il dans un souffle. Ça ressemblait au râle d'un...

— ... fantôme ! conclut Bryan, soudain très excité. Bon sang, Vince ! Ils sont là. Ce sont les deux caporaux.

Le souffle coupé, les muscles tétanisés, Vincent mobilisa tous ses sens dans l'espoir d'entendre de nouveau ce que l'autre monde avait à leur dire. Mais tout ce qu'il entendait, c'était le cri des hiboux et la fuite des petits animaux dans les broussailles. Alors, une grande mélancolie, un profond désespoir s'insinuèrent en lui et il comprit. Il comprit que la guerre, ce n'était rien d'autre que cela — uniforme contre uniforme, frère contre frère — combattre, tuer, mourir.

La honte le submergea aussitôt après, parce que Bryan était son frère bien-aimé et qu'il avait osé lever le poing sur lui. Les larmes débordèrent de ses yeux.

— Je suis désolé.

Bryan le considéra d'un air interloqué, mais Vincent ne pouvait s'empêcher de pleurer à chaudes larmes, ni de répéter encore et encore :

— Je suis désolé.

— Hey ! marmonna Bryan en détournant pudiquement les yeux. Tout va bien. Ce n'est pas la peine de pleurer.

En bon camarade, il lui épousseta un peu les vêtements, avant de lui secouer amicalement l'épaule et de l'aider à se remettre sur ses pieds. Puis, avec mille précautions et autant de grimaces, ils s'attelèrent à ôter de leur peau lacérée et de leurs habits déchirés les épines qui y étaient restées accrochées.

En une tentative pour rétablir le contact, Bryan lança à son ami, avec un sourire complice :

— Pour un novice, on peut dire que tu t'es bien battu !

Sans attendre Bryan, Vincent alla s'asseoir près du feu. Ses bras encerclant ses jambes, il posa le menton sur ses genoux et contempla fixement les flammes mourantes.

— Je ne veux pas me battre. Je déteste ça.

Après l'avoir rejoint, Bryan l'imita, cherchant désespérément quelque chose à dire pour briser la glace.

— T'as vu dans quel état on est ? demanda-t-il enfin. On a intérêt à trouver une bonne histoire pour expliquer ça. Pourquoi on ne dirait pas que ce sont des chiens sauvages qui nous ont attaqués ?

— C'est stupide, répondit Vincent d'un air morose. Personne ne gobera une histoire pareille.

— Alors à toi de jouer, Vince. Après tout, c'est toi qui es doué pour inventer des histoires.

Sans cesser de contempler le feu, Vincent soupira. Il détestait presque autant mentir que se battre. Mais il ne pensait pas pouvoir supporter la déception dans les yeux de sa mère s'il lui disait la vérité.

— Nous n'aurons qu'à dire que la balle de base-ball est tombée dans un roncier et que nous avons dû aller la rechercher, suggéra-t-il sans réfléchir.

Bryan hocha la tête avec conviction. C'était simple et brillant, comme tout ce qui sortait du cerveau de son copain.

— Et pour ta lèvre ? s'enquit-il soudain. J'y suis pas allé de main morte. Elle devrait sacrément enfler.

— Je dirai que je suis tombé.

Nerveusement, Bryan baissa les yeux et essuya ses paumes moites sur son jean en lambeaux.

— Ça te lance ? s'inquiéta-t-il gentiment. On pourrait mettre dessus une des boîtes de Coca pour te soigner.

— Pas la peine. Je vais bien.

— Ecoute, Vince. Si j'avais pu penser…

Ne sachant comment s'y prendre, Bryan baissa de nouveau les yeux et se mordit la lèvre avant de reprendre :

— Je ne pensais pas à mal en disant… ce que j'ai dit. Je veux dire… je ne voulais surtout pas insulter ta mère. Je regrette. Je sais que si je pensais que quelqu'un insulte ma mère, je lui foncerais dedans sans hésiter, comme tu l'as fait.

— T'inquiète pas, le rassura Vincent sans lever la

tête de ses genoux serrés. Ce n'est pas pour ça que je t'ai sauté dessus.

Surpris autant que rassuré, Bryan le contempla quelques instants sans paraître comprendre.

— Si je l'ai fait, reprit Vincent sans attendre sa question, c'est parce que je pensais que le shérif MacKade venait nous voir parce qu'il m'aime bien, et parce que j'étais déçu que ça ne soit pas le cas.

— Qu'est-ce que tu racontes ? protesta Bryan. Mais bien sûr qu'il t'aime bien.

— Non. Ce n'est pas pour moi qu'il vient, c'est pour voir ma mère. Il l'a sans doute déjà embrassée, et peut-être même plus, qui sait ?

Cette fois tout à fait désorienté, Bryan haussa les épaules.

— Puisqu'il a le béguin pour elle, cela me semble tout à fait normal.

Mais Vincent, sur sa lancée, continua sans l'entendre :

— Tout allait tellement bien. Trop bien sans doute. Nous avions cet appartement, cette nouvelle vie, maman était heureuse et nous aussi. Et au moment où je pensais que nous en avions terminé avec toutes ces vieilles histoires, le voilà qui s'impose chez nous. Si jamais maman épouse le shérif MacKade, tout redeviendra comme avant.

— Mais, pourquoi ? Devin est plutôt cool.

Dans les yeux de Vincent, éclairés par le feu mourant, passa une lueur meurtrière.

— Je ne veux pas de père. Je ne veux plus jamais avoir de père ! Dès qu'il sera installé chez nous, dès qu'il n'aura plus d'efforts à faire pour nous amadouer, tout lui appartiendra, tout devra être fait à son idée. Et si ce n'est pas le cas, il se mettra à boire, comme l'autre, et à hurler, et à battre ma mère.

A cette perspective, cocasse à ses yeux, Bryan ne put s'empêcher d'éclater de rire.

— Pas Devin, protesta-t-il. Jamais il ne ferait une chose pareille.

— Ces choses-là finissent toujours par arriver…, s'obstina Vincent en secouant la tête.

Fugitivement lui revint à la mémoire le souvenir du shérif lui proposant un pacte, dans ces mêmes bois, et tendant la main vers lui pour le concrétiser. Mais, dans sa détresse, Vincent eut tôt fait de le repousser.

— Il le fera, répéta-t-il d'un air buté. C'est ce que font les pères, un jour ou l'autre. Toujours.

— Pas le mien, rétorqua Bryan très calmement. Depuis qu'ils sont mariés, il n'a pas une seule fois levé la main sur ma mère. Il lui arrive de crier, alors elle crie plus fort que lui, et après tout rentre dans l'ordre. Parfois, c'est elle qui commence. Moi je compte les points. Je te prie de croire que ça met une sacrée ambiance à la maison.

— S'il ne l'a pas encore frappée, reprit doctement Vincent, c'est parce qu'elle ne l'a pas encore assez mis en colère.

— On voit que tu ne la connais pas ! Une fois, elle a rendu p'pa tellement furieux que j'ai cru que la fumée allait lui sortir des narines, comme dans un dessin animé. Alors, il l'a prise à bras-le-corps et il l'a jetée sur son épaule.

— Tu vois.

Bryan secoua la tête.

— Attends ! Il ne lui a pas fait mal, bien au contraire. Il l'a emmenée sur la pelouse, et ils ont commencé à faire semblant de se battre. M'man se débattait et jurait tout ce qu'elle pouvait. Puis elle s'est mise à rire. Ensuite, ils ont commencé à se regarder dans les yeux et à s'embrasser.

Renonçant à poursuivre, Bryan poussa un soupir consterné.

— Moi, reprit-il, j'ai préféré regarder ailleurs, parce que ça devenait trop gênant.

— Si elle l'avait vraiment mis en colère, conclut Vincent, il l'aurait…

— Mais puisque je te dis qu'il l'était ! Ses yeux lançaient des éclairs. Son visage était tout contracté.

Vincent demeura songeur quelques instants.

— Est-ce que ça t'a fait peur ? demanda-t-il enfin.

— Nan… Enfin peut-être un peu. Comme quand je fais quelque chose qui le met vraiment hors de lui. Mais c'est pas parce que je crains qu'il me batte que j'ai peur. C'est parce que j'ai peur qu'il ne m'aime plus.

Un peu gêné par l'intimité de cette confession, Bryan se réfugia à son tour dans un silence songeur. Après quelques minutes de contemplation silencieuse des braises rougeoyantes, il se leva pour remettre du bois sur le feu et vint se rasseoir près de son ami.

— Ecoute, Vince…, commença-t-il en glissant un bras amical autour de ses épaules. Tu n'as pas à t'en faire. Devin n'a rien à voir avec Joe Dolin.

— Il lui arrive de se battre, lui aussi.

— Sans doute. Mais jamais contre une femme ou des enfants.

— Où est la différence ?

Bryan leva les yeux au ciel. Vince était sans conteste la personne la plus brillante qu'il connaissait, mais il lui arrivait d'être si bête quand il s'agissait de lui.

— Toi, par exemple…, répondit-il, saisi par une brusque

inspiration. Tu viens juste de me rentrer dedans, pas vrai ? Est-ce que ça veut dire pour cela qu'en rentrant chez toi tu vas te défouler sur ta mère et ta sœur ?

— Bien sûr que non ! Je ne ferai jamais…

Vincent renonça à conclure, préférant se murer dans un silence boudeur.

— Tu as peut-être raison, finit-il par marmonner. Faut que j'y réfléchisse.

— Cool ! s'exclama Bryan en massant ses côtes endolories. Alors, on va faire la paix autour d'un Coca, et après tu nous raconteras une histoire de fantômes. Une qui fait vraiment peur.

Devin s'était levé tôt et il nourrissait les porcs, ce matin-là, lorsqu'il vit les deux garçons sortir des bois et venir vers lui, les bras chargés de leur matériel. Après les avoir salués d'un sourire amical, il découvrit l'état dans lequel ils se trouvaient et lança gaiement :

— Ça a dû être une sacrée nuit ! Vous avez rencontré des ours ?

Bryan se mit à rire, tout en faisant fête à Fred et Ethel qui venaient les saluer.

— Nan ! répondit-il avec insouciance. On a combattu des loups !

Les sourcils froncés, Devin s'approcha pour étudier la lèvre enflée de Vincent.

— Eh bien, ces loups n'y sont pas allés de main morte.

Pour faciliter son examen, Devin tendit la main pour saisir le menton du garçon mais celui-ci, d'un geste brusque, détourna la tête pour l'en empêcher.

— Nous avions perdu la balle dans un buisson de

ronces, expliqua-t-il d'une voix éteinte. Je me suis pris le pied dedans, et je suis tombé.

— Vos mères vous croiront sans doute, commenta Devin en hochant la tête d'un air dubitatif. Mais sûrement pas ton père, Bryan.

Décidé à ignorer la mauvaise humeur évidente du fils de Cassie, Devin déversa son baquet, ce qui eut pour effet de déclencher une belle bataille autour de la mangeoire.

— Et à part les loups ? s'enquit Devin en les regardant faire. La nuit s'est bien passée ?

— C'était trop cool ! s'exclama Bryan en grimpant sur la barrière pour ne rien rater du spectacle. On a mangé des hot dogs et des marshmallows et raconté des histoires de fantômes. On en a même entendu un !

— Eh bien…, fit Devin. On dirait que vous ne vous êtes pas ennuyés.

— Merci pour la tente, intervint Vincent en la déposant lourdement à ses pieds.

— Pas de quoi, répondit Devin. Pourquoi ne la garderais-tu pas ? J'imagine que tu auras bien plus d'occasions que moi de l'utiliser cet été.

— Je n'en veux pas ! décréta-t-il sèchement, avec une effronterie qui ne lui ressemblait guère. Et je ne veux rien d'autre non plus. Maintenant, je vais devoir rentrer.

Le menton levé en une attitude de défi, il demeura là quelques secondes, attendant que Devin lui montre ce qu'il en coûtait de défier un adulte. Mais celui-ci, bien plus ébahi que furieux, se contentait de le dévisager avec curiosité. Alors, un peu déçu, la démarche raide et les épaules tombantes, Vincent fit demi-tour en direction de la Résidence, sans un geste ni un mot d'adieu.

Mortifié et affreusement gêné par la conduite de son

ami, Bryan lui lança un dernier regard et s'éclaircit longuement la voix avant de s'excuser.

— Faut pas lui en vouloir, Devin. Si ton offre tient toujours, je veux bien la garder, moi, la tente.

— Il est en colère contre moi…, répondit Devin sans quitter des yeux les frêles épaules de Vincent. Tu sais pourquoi ?

Voyant Bryan aussitôt baisser la tête et plonger les mains dans ses poches, Devin poussa un soupir et tenta de le rassurer.

— Je ne voudrais pas te faire trahir un secret, Bry. Mais j'ai dû faire quelque chose qui lui a déplu, et j'aimerais bien pouvoir réparer ça.

— En fait, marmonna Bryan sans lever les yeux, je crois que tout est ma faute.

Nerveusement, tout en parlant, il remuait la poussière à ses pieds du bout de sa chaussure.

— J'ai dû dire quelque chose sur sa mère et sur toi, reprit-il piteusement. Comme quoi… tu aurais le béguin pour elle. Ça l'a rendu complètement dingo et il m'a sauté dessus.

Dans le vain espoir d'alléger le poids qui subitement venait de lui tomber sur les épaules, Devin se massa longuement la nuque.

— D'accord, Bryan, dit-il enfin. Merci de m'avoir prévenu.

— Devin.

— Oui ?

Bryan hésita encore quelques secondes avant de se lancer.

— C'est juste que… Il est effrayé, je crois. Ce n'est pas que Vince soit une poule mouillée, mais il a peur que… Au cas où il y aurait quelque chose entre sa mère et toi. Il a peur que tout redevienne comme avant. Il est persuadé que si vous vous mariez tous les deux, tu te mettras à la battre, exactement comme ce salaud — je veux dire comme Dolin — le faisait.

Comme s'il craignait le retour inopiné de son ami, Bryan lança autour de lui quelques regards inquiets avant de conclure :

— J'ai essayé de lui faire comprendre que ça n'avait aucun sens, mais je crois que ça n'a pas marché.

— O.K., Bryan. Je vais voir ce que je peux faire pour dissiper ce malentendu.

Une lueur d'inquiétude passa dans le regard du garçon.

— Il m'en voudrait sans doute à mort s'il savait que je t'ai dit ça.

— Non. Je ne le pense pas. Tu as fait ce qui était le mieux pour lui, Bryan. Vince a de la chance. Tu es un chouette copain.

— Tu n'es pas en colère contre lui, n'est-ce pas ?

— Non. Pas du tout. Tu connais les sentiments que ton père ressent pour toi, j'imagine ?

La fierté autant que l'embarras empourprèrent les joues de Bryan, qui baissa une nouvelle fois les yeux.

— Eh bien, je ressens la même chose pour Vince, poursuivit Devin sans attendre de réponse. Je dois juste lui laisser le temps de s'en apercevoir. Et de s'y habituer.

Depuis le départ de Vincent pour les bois la veille, Cassie avait tenté de se convaincre qu'elle n'était pas inquiète. De toutes ses forces, elle avait essayé. Mais quand il apparut au petit matin à travers la fenêtre de la

241

cuisine de la Résidence, elle ne put retenir un soupir de soulagement.

Le voyant se diriger vers l'escalier de service pour rejoindre leur appartement, elle abandonna séance tenante la pâte à crêpes qu'elle était occupée à préparer pour se précipiter à sa rencontre.

— Vince ! l'appela-t-elle joyeusement. Je suis en bas. Est-ce que tu as…

En découvrant la lèvre enflée, les multiples écorchures, le T-shirt lacéré, Cassie crut que son cœur s'arrêtait de battre.

— Que s'est-il passé ? gémit-elle en s'accroupissant près de lui pour mieux observer ses blessures. Oh ! mon bébé. Qu'est-ce qui t'est arrivé ?

D'un brusque pas de côté, Vince se déroba à sa sollicitude.

— Je vais bien ! lança-t-il d'une voix chargée de colère.

Interloquée, Cassie le dévisagea sans comprendre. Ce garçon qui la toisait d'un regard chargé de mépris n'avait plus grand-chose à voir avec le fils qu'elle croyait connaître.

— Je vais tout à fait bien ! renchérit-il sur le même ton. N'est-ce pas ce que tu avais l'habitude de dire à tout le monde, lorsqu'il te battait si fort que tu en étais méconnaissable ? J'ai glissé. A moins que je ne sois tombé. Ou rentré dans une porte. Tu en veux d'autres encore ?

Le premier instant de stupeur passé, Cassie comprit qu'il lui fallait réagir sans tarder.

— Vincent ! dit-elle d'une voix ferme. Maintenant tu vas te calmer et me dire ce qui s'est passé.

— Tu ne me crois pas ? fit-il mine de s'étonner. Alors je vais te dire la vérité. Je me suis battu avec Bryan. Je l'ai frappé à coups de poing, et il s'est défendu.

— Mais, mon chéri, pourquoi ?

De nouveau, Vincent eut un geste brusque pour lui échapper.

— Cela me regarde, pourquoi nous nous sommes battus ! Après tout, je ne vois pas pourquoi je devrais tout te dire, puisque toi tu me caches des choses.

Jusqu'à ce jour, Cassie n'avait jamais eu à faire preuve d'autorité sur son fils. Mais malgré la détresse dans laquelle la plongeait son inexplicable colère, elle ne pouvait laisser passer cela sans rien dire.

— Tu es tout à fait libre d'avoir tes secrets, reconnut-elle d'une voix posée. Mais cela ne t'autorise en rien à me parler sur ce ton !

Comme s'il allait se mettre à pleurer, la lèvre enflée et rougie de Vincent trembla légèrement, mais ses yeux gris demeurèrent secs et froids comme l'acier.

— Pourquoi ne lui as-tu jamais dit cela, à lui ? Pourquoi ne lui as-tu jamais demandé de surveiller son langage lorsqu'il te traitait de tous les noms ? Tu le laissais dire et faire tout ce qu'il voulait !

La honte de s'entendre assener une vérité aussi pénible et aussi crue par son fils de dix ans submergea Cassie. Incapable de supporter son regard plus longtemps, elle baissa les yeux.

— Vince…, gémit-elle douloureusement. Si tout ceci a à voir avec ton père, nous…

— Ne l'appelle plus jamais ainsi ! hurla-t-il, hors de lui. Je préférerais mourir plutôt que de continuer à être le fils d'un salaud pareil ! Je le déteste, et j'ai honte de toi.

Atteinte de plein fouet comme par une gifle, Cassie sursauta mais parvint par miracle à retenir ses larmes.

— Tu vas laisser tout ça se produire encore ! lança-t-il

sur un ton accusateur. Dix ans d'enfer, cela ne t'a donc pas suffi ?

— Mais qu'est-ce que tu racontes ? s'impatienta Cassie. Tu vas te calmer et nous allons rentrer nous asseoir pour essayer d'y voir plus clair.

— Il n'y a rien à dire ! Je ne resterai pas dans cette maison si tu épouses le shérif MacKade. Je ne resterai plus les bras croisés à le regarder te battre comme plâtre. Je ne te laisserai pas m'imposer un nouveau père contre mon gré !

Fermant les yeux un instant pour reprendre contenance, Cassie s'obligea à respirer calmement avant de répondre. Au moins savait-elle à présent à quoi s'en tenir.

— Pour le moment, dit-elle fermement, il n'est pas question que je me marie avec Devin. De toute façon, je n'aurais jamais pris une décision d'une telle importance sans vous en parler, à toi et à Emma.

— Mais lui ne demanderait pas mieux, n'est-ce pas ?

— Oui, reconnut Cassie. Il m'aime, et son plus cher désir est que nous formions tous les quatre une famille. Il en a le droit, et il le mérite.

En prononçant ces mots, Cassie comprit soudain à quel point ils étaient vrais, et combien il avait été égoïste de sa part de demander à Devin d'attendre encore.

— Il nous aime beaucoup…, reprit-elle, la voix étranglée par l'émotion. Tous les trois. Et je croyais que tu l'aimais bien toi aussi.

— Cela n'a rien à voir ! décréta Vincent, les bras croisés en une attitude de défi. Je ne veux pas d'un nouveau père, un point c'est tout !

Sachant l'inutilité de chercher à le convaincre et comprenant qu'il ne lui serait plus possible de contenir ses larmes très longtemps, Cassie se redressa et décréta sèchement :

— Maintenant, tu vas monter te laver et te changer.

— Je ne…

— Fais ce que je te dis ! s'emporta-t-elle en le fusillant du regard. Je ne suis peut-être pas la mère que tu souhaiterais avoir, mais c'est quand même moi qui suis responsable de toi. Je dois m'occuper du petit déjeuner de nos hôtes. Pendant ce temps tu fais ta toilette, tu t'habilles, et tu gardes un œil sur ta sœur.

Sans attendre de réponse ni vérifier qu'elle était obéie, Cassie fit demi-tour pour regagner la cuisine. Avant même d'avoir atteint la Résidence, ses joues étaient inondées de larmes.

Sans trop savoir comment, Cassie s'était acquittée avec le sourire de ses obligations du matin, parvenant même à plaisanter et à faire la conversation quand il le fallait. Lorsqu'elle eut terminé de nettoyer la cuisine et la salle à manger, elle remonta chez elle pour envoyer ses enfants jouer dans le jardin pendant qu'elle-même s'occuperait des chambres. Sa grosse colère passée, Vincent semblait être redevenu lui-même et il proposa de l'aider dans son ménage, offre que Cassie déclina sèchement.

Elle était en train de changer les draps dans l'ancienne chambre d'Abigail lorsque le bruit de la porte d'entrée retentit dans le hall. Avec le sentiment troublant d'avoir déjà vécu cette scène, Cassie comprit que Devin venait lui rendre visite. Décidée à faire face à ses responsabilités, elle respira profondément pour se préparer à la confrontation. Pour ce qu'elle avait à lui dire, le mieux était encore de ne pas attendre.

Lorsqu'il apparut sur le seuil, un sourire illumina son beau visage et Cassie sentit vaciller sa résolution.

— Je peux t'aider ? proposa-t-il.

Après avoir soigneusement lissé le drap-housse, Cassie déplia d'un grand geste le drap du dessus.

— Inutile, répondit-elle. Je te remercie mais j'ai presque terminé.

— Ce matin, j'ai vu Bry et Vince à la ferme, dit Devin en s'approchant. Il ne faut pas leur en vouloir pour ce qui s'est passé. Les garçons sont les garçons, comme on dit.

— Non. Ce n'est pas à ce propos que je suis fâchée.

Une lueur d'étonnement passa dans le regard de Devin.

— Ah bon ? s'étonna-t-il. Alors à propos de quoi ?

Cassie poussa un soupir pour se donner du courage. Depuis le retour de Vince, elle n'avait pas cessé de remuer sous son crâne toutes les données du problème, parvenant toujours à la même conclusion. Depuis qu'ils étaient nés, elle avait toujours sacrifié ses enfants aux aléas de sa vie personnelle. Quoi qu'il pût lui en coûter cette fois, elle ne commettrait pas la même erreur.

— Devin…, dit-elle en le dévisageant gravement. J'ai besoin de te parler.

Saisi d'un sombre pressentiment, Devin sentit son pouls s'accélérer.

— Je t'écoute.

— Vincent est rentré bouleversé.

Pour empêcher ses mains de trembler, elle s'obligea à border le lit.

— Je ne sais comment il a fini par comprendre, reprit-elle. Ou on lui a dit quelque chose à notre sujet…

— Je suis au courant, s'empressa de préciser Devin. Bryan m'a tout raconté.

— Je l'ai trouvé inquiet, et même effrayé, de nous savoir… si proches, poursuivit Cassie.

— Il faut lui laisser le temps.

— Je ne peux prendre ce risque. Je ne veux plus être la cause du malheur de mes enfants.

— Tu n'es pas responsable de ce qui…

— Je n'en suis pas si sûre.

Cassie remit en forme les oreillers, puis les déposa soigneusement à la tête du lit.

— J'ai fini par comprendre qu'en ne faisant rien pour mettre un terme à la violence de Joe, je me rendais aussi responsable que lui vis-à-vis d'Emma et de Vince, ajouta-t-elle d'une voix tendue. Ses huit premières années ont été un enfer auquel je n'ai pas eu le courage de mettre un terme. Je croyais le protéger, mais c'était moi que je protégeais en me persuadant de cela. Je n'ai pas su le mettre à l'abri de toute cette violence. Et à présent il a honte de moi.

D'un bond, Devin fut auprès d'elle. Tendrement, il lui prit les mains entre les siennes.

— C'est faux ! protesta-t-il. S'il t'a dit cela, c'est parce qu'il était en colère contre moi et que tu étais la cible la plus proche. Ton fils t'adore.

— Je l'ai blessé, Devin. Bien plus que je n'aurais jamais cru pouvoir le faire. Sans doute également ai-je blessé sa sœur par négligence. Les choses commencent à peine à redevenir normales pour eux. Et sans leur laisser le temps d'en profiter, de reprendre confiance, voilà que j'introduis un nouveau bouleversement dans leur vie. Je ne peux faire cela. Il faut que nous cessions de nous voir.

La panique qui submergea Devin trouva aussitôt un écho dans sa voix.

— Tu sais bien qu'il n'en est pas question ! dit-il, bouleversé. Je vais lui parler.

Un peu plus sèchement qu'elle ne l'aurait voulu, Cassie libéra ses mains et se détourna.

— C'est à moi de régler ce problème. J'ai besoin de prouver à Vincent que j'en suis capable, et que lui et Emma passeront avant toute autre considération dorénavant, quoi qu'il arrive.

— Mais bon sang ! s'emporta Devin. Je n'ai aucune envie de prendre leur place dans ton cœur. Tout ce dont j'ai besoin, c'est de partager ta vie, de partager leur vie. Je t'aime, Cassie.

— Je sais. Je t'aime aussi, et je crois que je t'aimerai toujours. Mais il m'est impossible de vivre auprès de toi. Ne me demande pas de choisir.

— Qu'attends-tu de moi ? Que je me mette sur la touche de nouveau ? Je l'ai déjà fait pendant douze ans, et j'en ai assez d'attendre que tout soit parfait, que les conditions soient idéales pour que nous puissions enfin être réunis. Les choses ne seront jamais parfaites. Elles n'ont pas besoin de l'être. Nous avons le droit d'être heureux, Cassie. Tu représentes tout pour moi. Et tes enfants aussi. J'ai tant besoin de toi, de vous tous.

Cassie dut se retenir pour ne pas se boucher les oreilles. Devoir le repousser ainsi lui arrachait le cœur.

— Devin…, murmura-t-elle en secouant la tête d'un air désolé. Si les choses étaient différentes…

Après l'avoir saisie aux épaules pour l'obliger à lui faire face, il plongea son regard dans le sien et insista :

— Si nous le voulons vraiment, nous pouvons les rendre différentes.

Pour lui cacher les larmes qui lui piquaient les yeux, Cassie se libéra et se tourna vers la fenêtre.

— Il est trop tard…, reprit-elle tristement. Je sais que tu as besoin de moi, et cela me fait chaud au cœur de te l'entendre dire. Mais Vince a besoin de moi, lui aussi. Et il n'est encore qu'un petit garçon — mon petit garçon. Il est effrayé, il est triste, comment pourrais-je ne pas chercher à le rassurer, à le consoler ?

Pour se donner le courage de dire ce qui lui restait à dire, Cassie ferma les yeux, prit une longue inspiration.

— Tu désires te marier, avoir une famille — il n'y a rien de plus légitime. Tu es un homme merveilleux, Devin. Personne plus que toi ne mérite de voir comblés ses besoins et ses désirs. Mais je ne suis pas assez libre. Et peut-être ne le serai-je jamais. Je ne peux pas te donner ce à quoi tu aspires. Je ne peux pas être celle qui vivra près de toi.

— Tu me demandes de faire machine arrière ? De faire comme si rien ne s'était passé entre nous et d'attendre, en espérant des jours meilleurs, comme je l'ai toujours fait ?

— Non. Il est temps que tu cesses d'attendre, que tu cesses d'espérer.

— Il n'y aura jamais personne d'autre que toi.

Cassie sentit son cœur se fendre en deux — une moitié pour l'homme qu'elle aimait, l'autre pour son fils.

— Il ne faut pas, réussit-elle à murmurer. Je… Je n'ai pas été très honnête avec toi, Devin. Au cours de toutes ces années, j'ai toujours su confusément que tu m'attendais, que tu serais là pour moi si je le voulais. C'était égoïste de ma part, et c'était injuste envers toi. A présent, il est temps pour moi d'être juste. Vis-à-vis de toi comme vis-à-vis de Vince.

— Juste ? répéta Devin d'une voix grinçante. Tu trouves ça juste de me laisser tomber parce qu'un gamin de dix ans a besoin d'être rassuré ? Pour l'amour de Dieu, quand vas-tu enfin te décider à prendre tes responsabilités ?

Bravement, Cassie encaissa le choc. C'était sans doute la première fois que Devin avait pour elle des paroles blessantes, et c'était un bien faible prix à payer pour la douleur qu'elle lui infligeait.

— C'est ce que j'essaie de faire, répondit-elle d'une voix éteinte. Prendre ses responsabilités ne signifie pas toujours faire ce dont on a envie. Cela signifie aussi faire les choix nécessaires, aussi douloureux soient-ils, pour assurer le bonheur de ceux qu'on aime.

— Du diable si je m'abaisse à te supplier encore !

Soudain furieux, Devin avait prononcé ces mots avec rage. Figée devant la fenêtre, Cassie n'osait se retourner, de peur d'être confrontée à sa violence et à sa colère.

— Tu n'entendras plus jamais parler de moi, Cassie ! J'en ai assez de gâcher ma vie, de m'user le cœur à attendre que tu comprennes enfin. Et puisque tu sembles avoir fait ton choix, sache que j'ai fait le mien aussi. Irrévocablement.

Aussi glacée que si toute vie l'avait quittée, Cassie écouta les pas de Devin décroître dans l'escalier, puis dans le hall, avant que ne résonne dans toute la maison le fracas de la porte violemment claquée dans son dos. Alors, elle sut ce qu'Abigail avait ressenti, le jour où elle avait dû elle aussi éconduire l'homme qu'elle aimait sans pouvoir le suivre. Le vide. Un vide trop immense, trop effrayant, pour que le désespoir lui-même pût y trouver sa place.

D'un pas de somnambule, Cassie gagna le lit et s'y assit lourdement, les yeux secs et le visage vide de toute expression. Elle ne pleurait plus. C'était à l'intérieur d'elle-même que les larmes ne cessaient de couler. Et pour ces larmes-là, même le doux parfum de rose qui l'environnait à présent ne pouvait être une consolation.

Dès son entrée dans le bureau du shérif, Rafe devina l'humeur massacrante dans laquelle se trouvait son frère. Assis devant sa machine à écrire, plus sombre et concentré qu'il ne l'avait jamais été, Devin tapait furieusement sur les touches, comme s'il avait voulu les enfoncer à six pieds sous terre. Entièrement absorbé par sa tâche, il n'avait même pas pris la peine de relever la tête à son arrivée.

Comme Rafe avait pu maintes fois le constater, lorsque Devin était en colère — ce qui devait arriver aussi souvent que la pluie au milieu du désert —, la meilleure conduite à adopter était de ne pas en tenir compte.

— Je viens t'inviter à dîner…, annonça-t-il sans préambule. Regan veut rassembler toute la famille à la maison demain soir, y compris Cassie et ses enfants.

— Je ne suis pas libre. Maintenant fais-moi le plaisir de déguerpir !

— J'ai oublié de mentionner l'heure, poursuivit Rafe comme si de rien n'était.

S'approchant discrètement de Devin, il lança un coup d'œil curieux par-dessus son épaule et s'exclama :

— Qu'est-ce que c'est que ça !

— A ton avis ? grogna Devin sans se retourner ni cesser de taper.

— Ça m'a tout l'air d'une lettre de démission. Pour l'amour de Dieu, qu'est-ce qui te prend ?

— Mêle-toi de ce qui te regarde et ne reste pas dans mon dos !

Promptement, Rafe subtilisa la feuille engagée dans le rouleau, avant de la froisser et de la jeter dans un coin.

— Démission refusée !

Pour empêcher Devin de se dresser sur ses jambes comme il s'apprêtait à le faire, Rafe abattit lourdement ses deux mains sur ses épaules.

— Ecoute, frérot. Si tu veux te battre, je suis ton homme. Mais tant qu'on est encore en état de le faire, j'aimerais bien qu'on discute un peu. Qu'est-ce que tu crois faire en démissionnant de ton poste ?

— Ce que j'aurais dû faire depuis longtemps. J'en ai ma claque de cette foutue ville. J'en ai plus qu'assez de cette routine et de tous ces gens qui ne changeront jamais.

— Dev…, dit Rafe en soupirant. A qui veux-tu faire croire une chose pareille ? Il n'y a rien que tu aimes autant que cette routine et que tous ces gens dont tu parles. Si tu me disais plutôt ce qui s'est passé avec Cassie ?

— Rien du tout ! Fiche-moi la paix.

— Elle t'a viré ?

Cette fois, toute la force de son frère ne suffit pas à maintenir Devin sur son siège. Renversant à grand bruit le fauteuil sur le sol, il lui fit face, les poings serrés, prêt au combat.

Bien loin de l'effrayer, la fureur que Rafe vit passer dans les yeux de Devin le remua profondément. Pour en être réduit à de telles extrémités, il fallait vraiment que sa douleur fût grande.

— Allez…, dit-il en lui désignant le menton qu'il pointait vers lui. Frappe là et vise bien. Je t'en donne un d'avance.

Soudain vidé de toute colère, Devin prit appui sur le plateau de son bureau, les épaules tombantes et la tête basse.

— Tu as envie qu'on en parle ? demanda Rafe en venant entourer ses épaules d'un bras secourable.

— Pour quoi faire ?

Accablé de lassitude, Devin se passa longuement les deux mains sur le visage.

— Je suis fatigué de tout cela, reprit-il finalement. Vince ne me fait pas confiance, et sa mère encore moins. Je ne peux tout de même pas passer ma vie à faire mes preuves auprès d'eux.

— Depuis qu'il est né, répondit Rafe d'une voix conciliante, ce gosse n'a pas eu la partie facile. Et Cassie non plus. Laisse-leur donc un peu de temps.

— Et qu'est-ce que je fais d'autre, à ton avis, depuis douze ans ?

De rage et de frustration, Devina assena un coup de poing retentissant sur le plateau métallique du bureau.

— Un jour ou l'autre, ajouta-t-il, toute patience mérite d'être payée en retour.

La sonnerie du téléphone dispensa Rafe de toute réponse. Avant qu'elle ait pu retentir de nouveau, Devin avait décroché.

— Shérif d'Antietam. MacKade à l'appareil.

L'instant d'après, il se dressait sur ses jambes et hurlait dans le combiné :

— Vous êtes sûr ? Quand ? Mais cela fait plus d'une heure ! Pourquoi n'ai-je pas été prévenu plus tôt ?

Sans attendre la réponse, il raccrocha violemment et se précipita vers le râtelier des armes à feu.

— Dolin s'est évadé ! lança-t-il à son frère en déverrouillant la porte vitrée. Je te nomme adjoint du shérif.

Chapitre 12

Prudemment, Joe demeurait tapi dans le fossé situé face au ranch où vivait sa bigote de belle-mère. Il doutait fort que le shérif ou ses sbires pensent à venir le chercher ici. Ils commenceraient sans doute par filer ventre à terre jusque chez Cassie. Ou ils interrogeraient dans un premier temps ses anciens copains de beuverie. Et s'ils se décidaient enfin à venir faire un tour chez Constance Connor, il en serait sans doute déjà parti depuis longtemps.

Il lui suffit de quelques minutes de surveillance pour constater que la maison était vide. Aucune voiture ne stationnait dans l'allée. Tous les rideaux étaient soigneusement tirés. Le ranch, situé au bout d'une route en cul-de-sac, était d'une tranquillité qui convenait bien à ses desseins.

Sans cesser d'épier les alentours, Joe se glissa hors du fossé et gagna le côté nord du bâtiment, le moins exposé à la vue. Un seul coup de coude lui suffit à casser un carreau. Si la prison lui avait appris une chose, c'était bien la facilité avec laquelle il était toujours possible de s'introduire chez autrui.

Une fois dans la place, il se dirigea sans hésiter vers la chambre à coucher. Avant toute chose, il lui fallait trouver des vêtements civils, et il savait que sa belle-mère conservait comme des reliques dans sa penderie les vêtements de son défunt mari. La vieille avait toujours été morbide, et la paranoïa était un autre de ses péchés mignons.

C'était la raison pour laquelle il savait pouvoir trouver dans le tiroir de la table de nuit un revolver chargé jusqu'à la gueule. La seule chose qu'il ne dénicherait jamais dans cette maison, c'était de quoi apaiser la soif énorme qui lui asséchait le gosier depuis qu'il s'était fait la belle. Mais à cela, il trouverait bien le moyen de remédier plus tard.

Dans ses vêtements trop petits, l'arme rassurante glissée dans la poche de son pantalon, Joe s'installa dans un des fauteuils du salon. Il n'eut pas à attendre très longtemps. A peine le temps de s'assoupir quelques minutes et déjà un bruit de moteur retentissait dans l'allée. A pas feutrés, souriant de l'entendre ferrailler avec ses clés, Joe quitta son fauteuil pour aller offrir à sa belle-mère un comité d'accueil à sa façon.

Engoncée dans le manteau d'hiver qu'il lui avait toujours connu, elle portait un sac de provisions d'une main et son sac à main de l'autre. Lorsqu'elle l'aperçut dans la pénombre, ses yeux s'agrandirent démesurément.

— Joe ? balbutia-t-elle peureusement. Pour l'amour du ciel, mais qu'est-ce que…

Sans lui laisser la possibilité d'achever sa phrase, Joe fit ce qu'il avait envie de faire depuis qu'il la connaissait. Prenant son élan, il l'envoya valser sur le sol d'un monumental aller-retour de la main droite.

Pendant un petit moment, il avait caressé l'idée de la tuer, mais il avait changé d'avis. C'était le sort qu'il réservait à ce salaud de Devin MacKade. Pendant qu'elle était en train de gémir à ses pieds, il s'empressa de la bâillonner et de la ligoter avec une serviette et une corde à linge qu'il trouva dans la salle de bains.

Le contenu de son sac s'éparpilla sur le sol. Entre un chapelet et un missel, Joe ramassa avec une grimace de déception deux billets froissés, ainsi qu'un petit trousseau de clés.

— Vingt malheureux dollars…, grogna-t-il en les empochant. J'aurais dû m'en douter.

Puis, faisant tinter les clés au bout de ses doigts, il ajouta avec un sourire mauvais :

— Je vais devoir t'emprunter ta voiture, la vieille. Un petit voyage à faire avec ma femme. Une bonne épouse est censée suivre son mari partout où il va, pas vrai ?

Voyant Constance rouler des yeux épouvantés, Joe s'accroupit près d'elle pour mieux se délecter du spectacle.

— C'était vraiment très gentil d'écrire toutes ces lettres au directeur de la prison, susurra-t-il. Et pour te montrer à quel point je te suis reconnaissant, j'ai décidé de ne pas te faire rejoindre tout de suite ton cher Créateur. Après tout, c'est peut-être le pire des services que je puisse te rendre !

La tête violemment rejetée en arrière, Joe éclata d'un rire de dément, à la plus grande frayeur de Constance, qui se tortilla de plus belle sur le sol.

— Mais en ce qui concerne ta chère fille, reprit-il, c'est une autre histoire. Tu es d'accord avec moi pour dire que cette garce a bien mérité une petite leçon, pas vrai ? Alors je vais te dire ce que j'ai prévu pour elle…

Joe se pencha alors vers la vieille femme et commença à lui murmurer dans le creux de l'oreille ce qu'il comptait faire subir à sa fille.

*
* *

Dans un nuage de poussière, Devin déboula en trombe sur le parking de la Résidence. L'arme au poing, il se glissa hors de son véhicule et se dirigea rapidement vers l'arrière de la maison, scrutant attentivement sur son passage chaque arbre, chaque buisson.

Il découvrit Cassie tranquillement occupée à cuisiner. Incapable de se contrôler, il fondit sur elle, la prit dans ses bras, et la serra longuement contre lui.

— Devin…

Dominant enfin ses émotions, il s'écarta d'elle et dit d'un ton sévère :

— J'ai à te parler.

Nerveusement, il jeta un coup d'œil en direction du salon, où les deux enfants ne les quittaient pas des yeux. Il allait leur suggérer d'aller jouer dans leur chambre, quand il comprit qu'il réagissait plus en père qu'en policier. Alors, songeant que l'heure n'était plus à la délicatesse, il annonça brutalement :

— Joe s'est évadé il y a un peu plus d'une heure.

Cassie sentit ses jambes se dérober sous elle. Heureusement, Devin s'en aperçut et la guida jusqu'à une chaise.

— Assied-toi là, dit-il d'un ton sans réplique, et écoute-moi bien. Mes adjoints interrogent tous ceux que Joe connaissait, visitent tous les lieux où il avait coutume de se rendre. Sais-tu s'il connaît ton adresse ?

— Je l'ignore, avoua Cassie d'une voix lasse. Ma mère le lui a peut-être dit — je n'en sais rien.

— Nous ne pouvons pas prendre de risque, trancha Devin. Je veux que tu rassembles quelques affaires pour la nuit et que vous vous rendiez tous les trois au chalet.

— Au chalet ?

— Auprès de Savannah, tu seras en sécurité. J'ai besoin de Jared. J'ai besoin de Shane aussi, sans quoi je vous aurais emmenés à la ferme.

Cassie secoua la tête avec détermination.

— Je ne veux pas aller au chalet. Il est hors de question que je mette Savannah et ses enfants en danger.

Devin émit un claquement de langue agacé.

— Elle est de taille à y faire face !

— Si elle l'est, rétorqua-t-elle, alors je le suis aussi. Si tu penses que c'est préférable pour eux, les enfants iront seuls.

— Certainement pas ! lança Vincent. Nous n'irons nulle part sans toi.

Sur le seuil de la pièce, les mâchoires crispées, il serrait entre les siennes les mains de sa sœur qui observait la scène en silence, les yeux agrandis par la frayeur.

— Personne ne quittera personne ! lança Devin, un ton plus haut. Vous allez tous faire ce que je vous dis et aller où je vous demande d'aller. Préparez vite vos affaires, ou vous devrez vous en passer.

— Savannah n'est pas responsable des miens, s'entêta Cassie. C'est moi qui le suis.

Devin fit un tour sur lui-même et se tourna vers Vincent pour ordonner :

— Prends vite ta sœur avec toi et attendez-nous en bas. Je vous rejoins avec ta mère.

Le cœur au bord des lèvres, Vince découvrait dans les yeux du shérif une fureur telle qu'il n'en avait jamais connu, pas même dans ceux de Joe Dolin. Néanmoins, rassemblant tout son courage, il parvint à dire bravement :

— Je peux protéger ma mère moi-même.

— J'y compte bien ! s'écria Devin. Mais pour l'amour de Dieu pas ici. Fais ce que je te demande, Vince.

Cassie crut bon d'intervenir.

— Devin, prends les enfants avec toi et…

Cette fois, la coupe était pleine et Devin, jurant entre ses dents, se précipita sur elle pour la prendre à bras-le-corps et la charger sur son épaule.

— Ça suffit ! cria-t-il, hors de lui. Tout le monde en bas ! Et vite !

Voyant le visage de Vincent se décomposer sous ses yeux, Devin s'emporta :

— Mais, bon sang, mon garçon ! Tu ne vois donc pas que je préférerais mourir plutôt que de lui faire mal, plutôt que de faire mal à n'importe lequel d'entre vous ?

D'un seul coup, Vincent comprit que le shérif ne mentait pas. S'il y avait sur terre un homme en qui il pouvait avoir confiance, c'était bien lui. De honte, il se sentit rougir jusqu'à la racine des cheveux et baissa les yeux. Comment avait-il pu si longtemps se conduire en idiot ?

— Oui, monsieur ! lança-t-il en saisissant précipitamment la main de sa sœur. Viens, Emma.

— Devin…, gémit Cassie, qui ne cessait de s'agiter sur son épaule. Repose-moi. Nous allons te suivre.

Sur le palier, Devin fit ce qu'elle demandait. Avec un sourire rassurant, Cassie tendit une main à chacun de ses enfants.

— Je te fais confiance, lui assura-t-elle avant de s'engager dans l'escalier. Nous te faisons confiance tous les trois.

Dès qu'ils eurent atteint le porche, Devin redoubla de prudence et passa devant eux pour contourner le bâtiment et rejoindre son véhicule sur le parking.

— Des barrages ont été établis sur les routes principales,

expliqua-t-il en les entraînant à sa suite. Un hélicoptère devrait nous aider dans nos recherches. Avant la tombée de la nuit, nous lui aurons mis le grappin dessus. Combien attends-tu de clients pour ce soir ?

— Juste un couple de personnes âgées, répondit Cassie. Ils ont prévenu qu'ils arriveraient tard.

Après avoir longé la façade, ils descendirent quatre à quatre les marches qui menaient du perron à l'allée principale.

— Je vais charger un de mes hommes de les attendre ici, assura Devin par-dessus son épaule. Contente-toi de…

Une brusque déflagration l'empêcha d'achever sa phrase. L'instant d'après, Devin gisait évanoui aux pieds de Cassie et de ses enfants, qui contemplaient avec horreur le sang qui s'écoulait abondamment de son front.

— Bonjour, mon amour.

Cassie tressaillit en reconnaissant la voix de Joe. Aussitôt après, elle le vit jaillir d'un buisson tout proche et s'approcher d'eux, l'arme au poing et les lèvres déformées par un sourire de joie mauvaise.

— Que se passe-t-il ? fit-il mine de s'étonner. Tu n'es pas heureuse de me voir rentrer à la maison ?

Cassie fit la seule chose qu'il lui était possible de faire. Dissimulant bravement ses deux enfants derrière elle, elle lui fit face en s'efforçant d'ignorer la terreur qui lui rongeait les entrailles.

Un seul regard suffisait pour comprendre que Joe avait beaucoup changé en prison. Son visage avait maigri, s'était sculpté, endurci, tout comme son corps imposant qui semblait être à présent celui d'un athlète aguerri. De sa lutte avec Regan lorsqu'il l'avait agressée chez elle, il avait gardé deux cicatrices livides, au-dessus et en dessous de l'œil droit, qui lui donnaient un air plus féroce que jamais. Son regard seul n'avait pas changé. Il était toujours aussi vicieux, aussi méchant.

— Je vais te suivre, Joe.

Cassie avait eu le temps de se rendre compte que Devin respirait encore, malgré la gravité apparente de sa blessure à la tête. Il lui fallait au plus vite une ambulance. Le seul moyen de les sauver, lui et les enfants, était encore de détourner sur elle la folie de Joe.

— Je te suivrai où tu veux, reprit-elle avec le maximum de conviction. Tout ce que je te demande, c'est de ne pas toucher aux enfants.

Un éclat de pure démence passa dans le regard de Joe.

— Espèce de garce ! Dis-toi bien que je leur ferai ce qui me plaît à tes mioches. C'est moi qui donne les ordres ici !

Sans cesser de braquer sur elle son revolver, il lança un coup d'œil au corps de Devin évanoui et ricana.

— Pas si costaud que ça, le shérif MacKade. Mais j'aurais dû viser mieux. Il est vrai que mon œil droit n'est plus ce qu'il était. Heureusement, de près cela va beaucoup mieux !

Plongée en plein cauchemar, Cassie le vit pointer son arme vers la poitrine de Devin, presque à bout portant, tandis qu'une lueur de triomphe illuminait son visage. Un vent de panique souffla dans son esprit. Un drame identique s'était joué dans ces lieux, des décennies auparavant. Mais à la différence d'Abigail Barlow, qui avait été trop faible pour empêcher son mari d'assassiner le jeune soldat blessé, Cassie se jeta sans hésiter sur le corps inanimé de Devin.

— Non ! cria-t-elle en levant vers Joe un regard implorant. Tu ne peux pas faire ça, il est blessé.

Puis, sachant cet argument de peu de poids pour arrêter un homme aussi déterminé, elle s'empressa d'ajouter :

— Si tu le tues, c'est ta tête que tu risques ! Sais-tu quelle peine encourt le meurtrier d'un officier de police ? De toute façon cela ne sert à rien, puisque je suis prête à te suivre.

— Si tu ne bouges pas immédiatement, répondit Joe sans s'émouvoir, je tire sur lui à travers toi. Mais j'ai peut-être une meilleure idée.

Sur son visage livide, son sourire s'élargit. Lentement, il releva le bras pour pointer l'arme vers son fils.

— Ne touche pas à mes enfants !

Comme une possédée, Cassie jaillit d'un bond et se jeta sur lui, avec une force et une détermination qui déstabilisèrent Joe un court instant. Vincent, à son tour, se précipita pour défendre sa mère, jetant dans cette bataille perdue d'avance toute sa force et sa détermination.

D'un seul revers de main, Joe eut tôt fait de se débarrasser de lui comme d'un insecte encombrant.

— Je t'apprendrai les bonnes manières, petit morveux !

Mais avant d'avoir pu frapper avec la crosse de son arme le gamin affalé à ses pieds, Joe se redressa vivement. En contrebas, sur la route, un bruit de sirènes de police enflait rapidement.

Comprenant que toute retraite vers la voiture de Constance Connor lui était à présent interdite, Joe jura entre ses dents et passa le bras autour de la gorge de Cassie. Le canon du revolver appuyé sur sa tempe, il l'entraîna rapidement vers la lisière du bois, hurlant à qui pouvait l'entendre :

— Je vais la tuer ! Que personne ne nous suive, ou elle est morte !

Déjà, ils avaient disparu sous le couvert des arbres. Vincent, encore un peu étourdi, se releva pour aller consoler sa sœur. En larmes, accroupie près de Devin, elle serrait dans les siennes sa grosse main inerte en suppliant :

— Réveille-toi. Je t'en prie, réveille-toi.

Dix secondes plus tard, au grand soulagement de Vince, Rafe et l'adjoint du shérif arrivaient sur les lieux.

— Il lui a tiré dessus ! cria-t-il à leur intention. Et il a emporté maman dans les bois.

Le visage pâle et les traits tirés, Rafe s'agenouilla près de son frère et prit sa tête entre ses mains pour examiner de plus près la blessure.

— Ce n'est rien, assura-t-il avec un soulagement évident. La balle n'a fait que l'effleurer.

Après avoir sorti un foulard de sa poche, il entreprit d'étancher le sang sur le front de Devin. Puis, voyant ses paupières remuer, il ajouta :

— Il revient à lui. Vince, cours à l'intérieur, appelle une ambulance.

Cette fois, les yeux de Devin étaient grands ouverts. Déjà il luttait pour se redresser.

— Je vais bien, assura-t-il avec une grimace, en se massant les tempes.

— Imbécile ! cria Rafe, qui s'efforçait en vain de le maintenir allongé. Tu ne vois pas que tu es blessé ?

Une fois debout, Devin vit le monde tournoyer autour de lui. Un nuage noir passa devant ses yeux, aussitôt suivi d'un éclair de lumière. Luttant pied à pied pour reprendre ses esprits, il respira profondément.

— Je vais bien, put-il enfin répéter sans mentir. Cassie ? Où l'a-t-il emmenée ?

Au bord des larmes, Vince se mordit la lèvre pour ne pas pleurer.

— Dans les bois, expliqua-t-il en baissant les yeux. Il était en train de la battre de nouveau. J'ai essayé de l'arrêter, mais…

Une main posée sur l'épaule du garçon, Devin s'efforça de le tranquilliser.

— Tu as fait ce que tu as pu, assura-t-il. A présent, tu dois prendre soin de ta sœur.

Puis, se tournant vers Donnie, il ordonna :

— Je veux le plus d'hommes possible pour encercler les bois. Demande à Jared de me rejoindre avec Shane. Quand ce sera fait, emmène ces enfants à l'intérieur et garde un œil sur les alentours.

— Je vais avec toi, annonça Rafe.

— Tu peux venir, répondit Devin en dégainant son arme. Mais Dolin est pour moi.

Aussitôt que Devin et les enfants ne furent plus sous la menace de Joe, Cassie fit tout son possible pour ralentir leur fuite désordonnée. Elle s'était juré de ne plus jamais être une victime silencieuse et comptait bien honorer cette promesse. Même si le bras de Joe serré sur sa gorge ne cessait de la faire suffoquer, elle griffait, ruait, mordait, se débattait tant et plus.

— Garce ! haletait Joe, tu as oublié qui est le patron, pas vrai ? Tu pensais pouvoir me mettre en cage pour te débarrasser de moi.

Comprenant qu'il ne pourrait pas continuer ainsi, Joe

lâcha un juron retentissant et glissa le revolver dans sa ceinture, de manière à pouvoir utiliser ses deux mains pour la maîtriser.

— Tu vas voir, murmura-t-il à son oreille, ce qu'il en coûte d'oublier qui est le maître. Et je vais prendre du bon temps à te le rappeler.

Bien trop furieuse pour se laisser impressionner par ses menaces, Cassie lança, d'une voix étranglée :

— Ils te rattraperont. Ils t'enfermeront, et cette fois ce sera pour toujours !

— Peut-être…, admit Joe. Ou peut-être pas.

Désorienté, un peu inquiet, il regarda autour de lui d'un air perplexe. Depuis quelques minutes, il avait l'impression de tourner en rond. Il avait toujours détesté ces bois et n'avait jamais su s'y repérer. Il n'était pas chez lui ici. Depuis toujours, ces bois étaient le domaine des frères MacKade.

— En prison, reprit-il pour se donner du courage, j'ai eu tout le temps d'y penser. Dès que nous aurons trouvé une voiture, fais-moi confiance, je sais exactement où aller. J'ai des amis. Des tas d'amis qui ne demandent qu'à m'aider.

— Tu n'as personne ! lança Cassie. Tu n'as jamais eu d'amis. Devin te rattrapera, il n'abandonnera jamais.

De rage et de mépris, Joe cracha sur le sol.

— T'as couché avec lui, pas vrai ?

Le souffle court, le visage congestionné, il s'arrêta au beau milieu de la clairière dans laquelle ils venaient de déboucher. Empoignant Cassie par les cheveux, il l'attira violemment vers lui, jusqu'à ce que leurs nez soient proches à se toucher. Partagé entre la rage et la panique, il avait l'impression d'entendre sous son crâne une voix lui dicter ce qu'il avait à dire.

— Espèce de putain ! cracha-t-il, comme si ces mots lui brûlaient la bouche. Tu m'appartiens, et tu aurais mieux fait de ne pas l'oublier. Tu m'appartiens ! Jusqu'à ce que la mort nous sépare.

Ces menaces résonnèrent aux oreilles de Cassie comme l'écho de celles qu'elle avait entendu proférer par John Barlow contre sa femme. Bien loin de la terroriser, elles ne firent qu'attiser sa volonté de résister. Avec le sentiment de venger Abigail autant qu'elle-même, elle rétorqua, jouissant de la stupeur sur le visage de Joe :

— Espèce de brute avinée ! Rien ne t'appartient — tu ne t'appartiens même pas toi-même ! Tu es pitoyable.

Elle n'eut pas une grimace quand il la tira de nouveau par les cheveux.

— En fait, reprit-elle avec un rire arrogant, tu n'es bon qu'à frapper plus faible que toi. Alors vas-y, bats-moi ! Mais j'aime autant te prévenir, cette fois je ne me laisserai pas faire.

Ecumant de rage, Joe lâcha Cassie et lui assena à la volée une série de gifles qui l'envoyèrent rouler à quelques pas sur le chemin. Loin de l'abattre, la douleur ne fit que la rendre plus décidée et combative. Les poings serrés, les yeux flamboyant de colère, elle se remit sur ses pieds, prête à se défendre fièrement.

— Dolin ! lança soudain une voix forte à l'orée de la clairière. Si tu la touches encore, tu es un homme mort.

Lentement, Joe se retourna. A moins de trois mètres, Devin MacKade le menaçait, le doigt sur la détente de son arme tendue à bout de bras. Un rapide regard circulaire suffit à lui apprendre que toute retraite lui était coupée.

Rafe venait de surgir sur sa gauche, Shane sortait de derrière un arbre sur sa droite, et Jared se tenait à l'autre bout du chemin, derrière Cassie. Tous trois étant armés de revolvers et de fusils, toute tentative pour leur échapper aurait été suicidaire.

— Jette ton arme, reprit Devin. Retire-la doucement de ta ceinture et pose-la devant toi. Au moindre geste, tu te retrouves avec un petit trou au milieu du front.

— Quatre contre un, railla Joe en se penchant lentement pour déposer le revolver à ses pieds. On peut dire que vous êtes courageux, vous les MacKade.

— Tourne-toi vers moi, poursuivit Devin sans répondre. Et lance-moi l'arme d'un coup de pied.

Le visage déformé par la haine et agité de tics nerveux, Joe s'exécuta. Durant de longues secondes, les deux hommes se firent face en silence.

— Espèce de salaud ! finit par hurler Joe. Tu t'es payé ma femme, pas vrai ?

Sans le quitter des yeux, Devin se baissa pour ramasser l'arme, avant d'aller remettre à Rafe son propre revolver et celui de Joe.

— Quoi qu'il arrive, lui dit-il, ne vous mêlez pas de ça.

Puis, se tournant vers ses trois autres frères :

— Compris ?

Satisfait de les voir hocher la tête, Devin se retourna vers Dolin. Derrière lui, pâle et figée dans une attitude d'attente anxieuse, Cassie portait déjà sur le visage les traces des coups qu'elle venait de recevoir. Il ne lui en fallut pas plus pour sentir la haine l'envahir et mobiliser chaque muscle de son corps, tandis que l'adrénaline coulait à flots dans ses veines.

— Qu'est-ce que tu attends ? lança-t-il à Joe. Décide-toi

vite, parce que c'est sans doute la dernière occasion que tu auras de te battre avec moi.

Avec un hurlement de rage, Joe fonça sur lui tête baissée. Tout ce que Devin eut à faire, ce fut de pivoter sur lui-même pour esquiver l'assaut, lui assenant au passage un uppercut en pleine face. Affalé sur le sol, à moitié groggy, Joe se massa douloureusement le nez.

— Alors ? le nargua Devin d'une voix grinçante. C'est plus facile de tabasser une femme, pas vrai, Joe. Relève-toi, espèce de lâche. Cela fait trop longtemps que j'attends ce moment. Essaie un peu de m'atteindre, avant que j'écrabouille ta vilaine gueule de brute !

La bouche et le menton maculés du sang qui s'écoulait en abondance de son nez, Joe se releva à grand-peine pour repartir au combat. De longues minutes durant, les bois résonnèrent de coups de poing retentissants et de grognements de rage et de douleur.

Vaillamment, Cassie résistait à l'envie de fermer les yeux et de se boucher les oreilles. C'était pour elle que Devin se battait. Chaque coup qu'il prenait, elle avait l'impression de le ressentir dans sa propre chair. Chaque fois qu'il faisait mouche, elle se sentait exulter de la certitude qu'il ne pouvait que gagner.

Avec étonnement, elle comprenait qu'il ne restait plus rien en elle de la terreur que Joe lui avait inspirée. L'homme qui avait gâché sa vie et celle de ses enfants durant tant d'années n'était rien d'autre qu'une grotesque et pitoyable brute. Seules sa force et sa corpulence lui permettaient de faire illusion.

Dans la première partie du combat, elles lui avaient permis de prendre l'avantage. Mais même dominé au poids, Devin avait rapidement repris le dessus. Concentré, engagé tout entier dans chacun des coups qu'il donnait, il semblait ne pas souffrir de ceux qui lui étaient assenés.

A présent, Joe avait fini de résister. Tandis que les poings de Devin s'abattaient sans relâche sur son visage, sa tête suivait mollement le mouvement. Dans ce costume trop petit qui le rendait plus ridicule encore, son corps n'était plus qu'un paquet de chair inerte. Joe Dolin était un homme fini, et Cassie sut en lui jetant un ultime coup d'œil qu'elle n'aurait plus jamais peur de lui.

— Ça suffit ! lança Jared, qui surveillait avec vigilance le déroulement du combat. Il a son compte.

Mais il fallut les efforts combinés de ses trois frères pour que Devin consente enfin à se relever et à cesser de marteler son adversaire de ses poings.

— Voilà qui fait plaisir à voir…, commenta Rafe avec flegme, sans quitter des yeux le visage ensanglanté de Joe.

— Vous avez vu, lança Shane en désarmant son fusil, il a résisté à son arrestation.

— Je suis témoin, approuva Jared.

Affectueusement, il entoura d'un bras les épaules de son frère.

— Allez, Dev. Tu as besoin de quelques soins et tu as bien mérité une bonne bière.

Mais la rage qui avait habité Devin semblait ne pas l'avoir tout à fait déserté.

— Fiche-moi la paix ! grogna-t-il en secouant les épaules pour se libérer.

Avant de faire volte-face pour s'éloigner à travers bois en direction de la ferme, il eut un dernier regard pour Cassie. Pâle et frissonnante, battue et meurtrie, encore sous le choc de ce qui venait de se passer, la femme qu'il aimerait toujours le regardait. Dans ses yeux, Devin lut un soulagement et une reconnaissance qu'il ne pouvait prendre pour lui. Il avait juré de la protéger quoi qu'il arrive, et il avait failli.

— C'est terminé pour moi, dit-il alors en dégrafant son badge de sa poitrine pour le lancer sur le sol. Occupez-vous de lui, je rentre à la maison.

Voyant Cassie amorcer un pas en avant pour le rattraper, Jared la retint.

— Il faut lui laisser un peu de temps, dit-il en regardant son frère disparaître dans le sous-bois. Pour l'instant, il souffre trop.

Tant qu'elle en fut capable, Cassie s'efforça d'obéir au sage conseil de Jared. Tout d'abord, elle se hâta de rejoindre ses enfants, pour se rassurer elle-même autant que pour les consoler. Ensuite seulement, elle laissa Savannah et Regan s'occuper de ses blessures et faire tout leur possible pour la réconforter.

Pendant qu'elles l'entouraient de leur chaude amitié, Cassie reçut un coup de fil de sa mère qui la rassura sur son sort. Bien qu'encore sous le choc et légèrement blessée, la vieille dame allait aussi bien que possible. Rapide et superficielle, leur conversation lui permit néanmoins de comprendre qu'elles étaient désormais plus proches l'une de l'autre qu'elles ne l'avaient jamais été.

Cédant aux injonctions pressantes de ses amies, Cassie finit par avaler les deux petites pilules mauves qu'on lui tendait, et par sombrer dans un sommeil sans rêves ni cauchemars.

Lorsqu'elle en émergea, le lendemain matin, elle avait achevé de terrasser ses démons. Avec la certitude de savoir ce qu'il lui restait à faire, elle commença à se préparer, laissant Regan s'occuper, comme elle le lui avait proposé, du petit déjeuner des enfants.

Cassie était en train de glisser dans la poche de son pantalon la seule chose dont elle eût réellement besoin lorsque Vincent apparut dans l'encadrement de sa porte.

— Tu te prépares pour aller voir le shérif MacKade.

Dans sa bouche, c'était un constat, pas une question.

Le cœur serré, Cassie dévisagea son fils. Comme s'il venait de pleurer, ses yeux étaient rougis et de larges cernes mauves les bordaient. Un hématome était apparu durant la nuit sur sa joue gauche, ce qui ne rendait que plus évidente sa pâleur habituelle. Si elle s'était écoutée, elle l'aurait pris dans ses bras pour le bercer tout contre elle. Mais il y avait dans son maintien une dignité, dans son regard une maturité nouvelle, qui l'en dissuadèrent.

— Oui, finit-elle par répondre. J'ai besoin de lui parler, de le remercier pour ce qu'il a fait pour nous.

Vincent haussa brièvement les épaules.

— Il va te dire qu'il n'a fait que son boulot.

— Tu as sans doute raison. Mais cela ne me dispense pas d'aller le remercier. Il aurait pu être tué, Vince. Pour nous sauver.

— Moi, répondit-il d'une voix étranglée, j'ai d'abord cru qu'il était mort quand il est tombé.

Avec un effort manifeste pour se reprendre, Vincent poursuivit :

— En fait j'ai cru… j'ai cru qu'on allait tous mourir.

Pour résister aux frissons qui la secouaient, Cassie serra les bras contre sa poitrine.

— Vince…, dit-elle enfin en cherchant le regard de son fils. Je suis désolée. Pour ce que j'ai fait. Pour ce que je n'ai pas su faire. J'espère que tu pourras un jour me pardonner.

— Ce n'était pas ta faute, fit-il en secouant violemment la tête. Cela ne l'a jamais été. Si tu savais comme je regrette de t'avoir dit… ce que je t'ai dit.

Pour s'obliger à ne pas détourner les yeux, Vincent se mordit la lèvre violemment. Il aurait été lâche de le faire, et il savait à présent ce qu'étaient le courage, la lâcheté, et dans quel camp il voulait se situer.

— Ce n'était pas vrai, poursuivit-il courageusement, et cela n'avait rien à voir avec ce que je pense de toi. J'ai dit cela… pour te blesser. Parce que je me sentais mal.

— Vince.

Cassie n'eut qu'à tendre les bras pour que son fils vienne aussitôt s'y réfugier.

— Fais-moi confiance, lui murmura-t-elle à l'oreille. Cet épisode de notre histoire est définitivement terminé. Je te le promets.

— Je le sais. Je t'ai vue faire avec Dolin. Tu as été très courageuse.

Plus touchée qu'elle n'aurait pu l'être par aucun autre compliment, Cassie ferma les yeux pour retenir ses larmes et lui embrassa les cheveux.

— Toi aussi.

Comme pour se donner du courage, Vincent prit une grande inspiration. S'écartant de sa mère, il plongea dans le sien un regard résolu.

— Mais ce n'est pas fini, dit-il. Le shérif MacKade nous attend. Emma et moi, on en a parlé ensemble. On veut y aller avec toi. Nous voulons parler au shérif nous aussi.

— Je ne sais pas si…, objecta Cassie. Il est un peu

fâché, pour le moment. Il vaudrait peut-être mieux que j'y aille seule.

— Je dois lui parler, insista tranquillement Vincent. S'il te plaît.

La fermeté de son fils acheva de la convaincre. Comment aurait-elle pu dénier à ses enfants un besoin qu'elle ressentait elle-même avec une telle urgence ?

— C'est d'accord, dit-elle en lui prenant la main. Nous irons tous ensemble.

Depuis son fauteuil installé sur le porche de la ferme, Devin les vit sortir tous les trois du sous-bois. Après avoir failli se lever pour chercher refuge à l'intérieur, il se ravisa. C'eût été une bien piètre vengeance.

Alors, le cœur brisé, il se contenta de les regarder venir à lui. Sa tête le faisait encore souffrir et il avait les mains enflées d'avoir trop frappé, mais ce n'était rien comparé à la douleur qu'il ressentait de voir Cassie et ses enfants traverser la pelouse pour le rejoindre. Lorsqu'ils furent suffisamment proches, il découvrit les hématomes qui enlaidissaient leurs visages et sa souffrance atteignit de nouveaux sommets. Puis Emma lâcha la main de sa mère, et Devin ne vit plus que ce petit elfe aux cheveux d'or qui accourait pour le rejoindre.

— Nous venons te dire merci d'avoir battu le méchant homme ! dit-elle d'une traite en se hissant sur ses genoux. Tu as mal ?

Les yeux emplis de sollicitude, Emma se hissa jusqu'à ses joues striées d'écorchures pour y déposer un baiser, avant d'embrasser le bandage qui lui enserrait le crâne.

— Ça va mieux maintenant ?

Il fallut quelques secondes à Devin pour pouvoir parler.

— Oui, répondit-il en pressant son visage dans les cheveux de la fillette. Beaucoup mieux.

Aussitôt après, sans laisser à Cassie le temps de prendre la parole, il précisa :

— Si personne ne l'a encore fait, je peux te dire que Dolin a été transféré cette nuit au pénitencier fédéral. Avec les nouvelles charges dont il a à répondre, il ne devrait pas en ressortir avant de nombreuses années — s'il en ressort un jour. Toi et ta famille n'avez plus rien à craindre de lui.

Parce que c'était tout ce qu'elle était capable de faire, Cassie hocha la tête et demanda :

— Tes blessures. Ça va ?

— Ça peut aller. Et toi ?

— Je vais bien. Nous voulions te remercier pour tout ce que tu as fait.

— Je n'ai fait que mon travail.

A ces mots, Vincent ne put s'empêcher d'échanger avec sa mère un sourire complice.

— Mais toi, reprit Devin, tu t'es vraiment bien défendue. Tu sais au moins que tu n'as plus besoin de personne pour le faire à ta place, à présent.

Un silence gêné et lourd de sous-entendus retomba quelques secondes. Incapable de le supporter, Devin fit mine de se lever et de reposer Emma sur le sol.

— Je dois y aller, grogna-t-il indistinctement.

— Non ! protesta Cassie en esquissant un pas vers lui. S'il te plaît, attends.

— Il vous a battus, blessés, terrorisés ! s'emporta-t-il, tout à coup hors de lui. Et moi, je n'ai rien pu faire pour l'en empêcher.

— Mais tu étais blessé ! protesta Cassie. Tu gisais sur le sol, évanoui, ensanglanté. Comment aurais-tu pu faire quoi que ce soit ?

— Il voulait encore te tirer dessus, intervint Emma en posant sur ceux de Devin ses grands yeux graves. C'est maman qui l'a empêché en se couchant sur toi.

Apprendre ce détail qu'il ignorait suffit à glacer Devin d'une angoisse rétrospective.

— Bon sang, Cassie ! Avais-tu perdu l'esprit ?

— Tu avais besoin de moi ! dit-elle pour se justifier. J'ai fait mon devoir. A présent, c'est à moi de te demander d'agir de même.

Après avoir sorti de la poche de son jean le badge de shérif abandonné par Devin, elle le lui tendit timidement.

— Ne nous laisse pas tomber, supplia-t-elle avec un regard implorant. Reprends ton insigne.

Les traits tirés, le visage grave, Devin contempla quelques secondes l'étoile dorée posée dans la paume de Cassie, avant de river son regard au sien.

— Sais-tu ce que c'est, demanda-t-il, que de vivre en permanence à côté de quelqu'un que tu aimes, que tu désires, tout en sachant que cet amour est sans espoir ? Je ne peux plus vivre ainsi, pas même pour toi. Puisque tu ne veux pas m'épouser, je dois m'en aller. Jamais je ne supporterai de n'être que ton fidèle ami.

— Moi je t'épouserai ! lança Emma en refermant ses petits bras autour de son cou. Moi je t'aime.

Devin sentit son cœur sombrer de plus belle. Gentiment, il serra la fillette contre lui, déposa un dernier baiser dans ses cheveux, puis la reposa sur le sol.

— Je ne peux en supporter plus, Cassie. Rentre chez toi et oublie-moi, comme j'essaierai de t'oublier.

Il se retournait déjà pour rentrer dans la maison lorsque Vincent s'interposa.

— Shérif MacKade, dit-il d'une voix tendue à craquer, je dois vous présenter mes excuses.

— Inutile, répondit Devin d'une voix neutre. Tes sentiments t'appartiennent, tu n'as pas à t'en excuser.

— Monsieur, insista Vincent sur le même ton, avec votre permission j'ai quelque chose à vous dire.

Ne sachant que faire, Devin se passa une main nerveuse sur le visage et poussa un soupir. Il ne pouvait tout de même pas bousculer ce garçon figé devant lui dans un garde-à-vous approximatif pour rentrer chez lui.

— Très bien, dit-il enfin en plongeant les mains dans ses poches pour les empêcher de trembler. Je t'écoute.

— Je sais que vous êtes en colère contre moi…, commença-t-il d'une voix étonnamment forte. Et je l'étais moi aussi contre vous. Parce que je pensais que si vous épousiez ma mère, tout redeviendrait comme avant. Même si vous m'aviez donné votre parole. Et même si Bryan me soutenait le contraire.

A ce stade de son petit discours, Vincent dut prendre une profonde inspiration, autant pour reprendre son souffle que pour se donner le courage de continuer.

— Hier, reprit-il, lorsque vous êtes venu nous chercher pour nous conduire au chalet et que maman n'était pas d'accord, vous étiez en colère contre elle, contre nous. Et quand elle s'est obstinée, vous êtes devenu fou de rage. N'est-ce pas ?

— C'est vrai.

— Vous avez crié. Contre elle. Contre nous.

— Je le reconnais.

— Et moi, je pensais : ça y est, c'est là qu'il va la battre, c'est maintenant que tout redevient comme avant. Vous avez compris ce qui se passait dans ma tête, alors vous m'avez dit que pour rien au monde vous ne frapperiez ni elle, ni aucun de nous. Et je vous ai cru. Quand je vous ai vu foncer dans les bois à sa recherche, j'ai su que vous feriez n'importe quoi pour la sauver. Cela n'était pas parce que c'est votre job. C'était parce que c'était elle. Parce que c'était nous.

Un court instant, les larmes au bord des yeux, Vincent baissa la tête et crut qu'il ne pourrait pas conclure. Puis il sentit la main de Devin se poser sur son épaule et ce contact rassurant lui permit de rassembler le peu de courage qui lui restait.

— Je voulais vous dire, reprit-il en fixant Devin droit dans les yeux, que je ne veux plus de père, si ce n'est pas vous. S'il vous plaît ! Je veux que vous viviez avec nous tout le temps, comme le font toutes les familles. Je sais que je vous ai fait de la peine et que peut-être vous n'en avez plus envie. Je sais qu'après ce que j'ai fait peut-être que vous ne m'aimez plus. Mais je vous promets de ne plus m'opposer à vous. Je sais que j'ai été stupide et égoïste de me conduire ainsi. Vous pouvez me punir mais, je vous en prie, ne partez pas. Vous n'avez même pas besoin de m'aimer si c'est impossible…

Sa phrase mourut dans un souffle. Les larmes inondaient à présent son visage. S'accroupissant près de Vincent pour le prendre dans ses bras, Devin le serra fort contre sa poitrine et lui murmura à l'oreille, d'une voix tremblante :

— Cesse donc de dire des bêtises. Tu es trop intelligent pour cela. Comment pourrais-je cesser de t'aimer comme mon fils, de vouloir te donner cet amour d'un père que tu ne connais pas ?

— Ne partez pas…, supplia Vincent en s'accrochant à son cou comme à une bouée dans une mer déchaînée. Je vous en prie, ne nous laissez pas.

— Je n'irai nulle part, assura Devin en lui tapotant l'épaule. Puisque cela semble à présent être votre souhait à tous, je resterai ici, près de vous. D'accord ?

— Oui, monsieur.

Devin se mit à rire et s'écarta pour étudier le visage du garçon.

— Et si tu commençais par arrêter de m'appeler monsieur ? suggéra-t-il avec un clin d'œil.

Gentiment, du bout des doigts, Devin essuya les larmes sur les joues de Vince. Emma, qui n'avait pas perdu une miette de leur conversation, vint se glisser entre eux en riant.

— Prends-moi aussi dans tes bras, supplia-t-elle. Moi aussi je t'aime !

Ainsi Devin inaugura-t-il cette nouvelle vie qui semblait s'ouvrir à lui, une fillette douce comme un ange confortablement assise sur son bras gauche, et un garçon brillant et sensible sous le couvert protecteur de son bras droit. A présent que tous les obstacles semblaient s'être levés, il ne lui restait plus qu'à suivre enfin les élans de son cœur. Certes, dans ses rêves, ce n'était pas ainsi qu'il avait imaginé faire sa demande. Mais il était bien placé pour savoir que la réalité exigeait souvent des accommodements.

Lentement, il s'approcha de Cassie, qui était demeurée en retrait. Ses yeux étaient baignés de larmes. D'une main posée sur sa bouche, elle retenait des sanglots de joie, tandis que l'autre serait toujours ce badge qu'il avait sans doute un peu vite rejeté.

Avec délice et soulagement, Devin noya son regard dans ces yeux embués, d'un beau gris de fumée, qui l'avaient fait tant rêver durant toutes ces années.

— Personne ne t'a jamais aimée autant que moi, dit-il d'une voix résolue. Et je crois que personne ne pourra t'aimer autant que je t'aime à présent. Personne n'aimera jamais ces deux enfants mieux que moi, ne travaillera plus dur que moi pour leur offrir la belle vie qu'ils méritent. Le fait est que je ne peux vivre sans toi, sans vous. Sur cette terre, vous êtes ma joie, ma raison de vivre et d'espérer. Cassie… Veux-tu enfin m'épouser ?

Cassie eut l'impression quelques instants que son cœur s'était arrêté de battre. L'entendre prononcer ces mots, avec tant d'amour et de sincérité, en serrant contre lui ces deux enfants comme s'ils étaient les siens, était sans doute le plus beau cadeau qu'elle recevrait jamais.

En songeant que par manque de courage et de ténacité elle avait été sur le point de tourner le dos à la vie et à l'amour, comme Abigail Barlow, Cassie sentit un immense soulagement et une grande joie s'emparer d'elle. La gorge nouée par l'émotion, elle referma le cercle de leur nouvelle famille en prenant par la main ses enfants.

— Devin…, murmura-t-elle sans le quitter du regard. Tu es l'homme le plus remarquable qui puisse exister, et je t'aime de tout mon cœur. Si tu n'as qu'un défaut, c'est peut-être celui d'être trop patient.

— Ça va changer…, promit-il avec une grimace comique. Dorénavant, je serai l'homme le plus impatient qui soit. Cassie, oui ou non, veux-tu m'épouser ?

Cassie prit le temps d'épingler sur sa chemise l'étoile

dorée, lâcha la main de son fils, puis répondit, d'une voix forte et solennelle :

— Oui, je le veux.

Se hissant sur la pointe des pieds, elle déposa un long baiser sur les lèvres de l'homme qui était tout pour elle. Puis, avec un soupir de bien-être, elle laissa sa joue doucement reposer contre sa poitrine.

— Bientôt…, ajouta-t-elle dans un souffle. Le plus tôt possible. Nous avons tous attendu trop longtemps pour être heureux.

Dès le 1er juin,
5 romans à découvrir dans la

collection NORA ROBERTS

Trois fiancées pour les MacGregor - *Saga des MacGregor*

Dan, Ian et Duncan, les trois petits-fils du vieux Daniel MacGregor, ont tout pour eux. Dan est un peintre talentueux à l'indomptable énergie, revenu vivre à Washington après des années d'absence. Ian se consacre à sa carrière d'avocat à Boston, où il vient d'acheter une vieille maison pleine de charme. Quant à Duncan, il vient de réaliser son rêve : acheter le luxueux yacht *La Princesse Comanche*, qui relie Saint Louis à La Nouvelle-Orléans. Intelligents, brillants, passionnés, tous trois sont par ailleurs parfaitement satisfaits de leur vie sentimentale sans attaches et n'ont aucune envie de renoncer à leur liberté pour se marier et fonder une famille. Ce qu'ils ignorent, c'est que leur grand-père, désireux de voir le clan s'agrandir, leur a choisi à chacun la « fiancée parfaite »...

Un été au Maryland - Les chaînes du passé

A Antietam, au cœur du Maryland, un été se profile qui va bouleverser à jamais l'existence de plusieurs êtres meurtris par la vie... A l'image de la nature autour d'elle, Cassie Connor se sent en effet revivre. Elle qui a subi des années durant les violences de son mari, n'a-t-elle pas trouvé enfin le courage de porter plainte contre lui ? A présent que Joe croupit en prison, elle peut savourer sa liberté toute neuve. Et même accepter d'être courtisée par Devin MacKade, l'un des célibataires les plus en vue de la région. Mais on ne se libère pas si facilement du passé, et même si elle sent que Devin éprouve bien plus qu'une simple attirance pour elle, Cassie doute encore d'avoir le droit d'aimer et d'être aimée. La peur, cette compagne de toujours, n'a pas lâché son emprise sur elle. Seul le temps, peut-être, pourrait l'aider. Mais alors qu'elle croit le bonheur à portée de main, la nouvelle tombe que Joe s'est évadé, et qu'il est bien décidé à se venger de celle qui l'a envoyé en prison...

collection NORA ROBERTS

L'auberge du mystère

Après trois ans à New York, Autumn se réjouit de passer quelques jours dans la chaleureuse petite auberge tenue pas sa tante, au cœur des montagnes de Virginie. Mais une fois sur place, rien ne se déroule comme elle l'avait imaginé. D'abord parce qu'elle a la stupeur de trouver là Lucas McLean et que ces retrouvailles inattendues la bouleversent bien plus qu'elle ne le voudrait. Ensuite parce qu'elle devine immédiatement qu'une tension lourde et menaçante règne entre tous les pensionnaires de l'auberge. Comme s'ils étaient unis par un sombre secret... Son intuition se confime lorsqu'on découvre une des clientes poignardée dans sa chambre. Très vite, Autumn comprend que toutes les personnes présentes avaient des raisons de détester la victime... et de la tuer. Et alors qu'une tornade isole l'auberge du reste du monde, une question ne cesse plus de la hanter : le meurtrier pourrait-il être Lucas ?

Un ténébreux amant

A la mort de son père qu'elle adorait, Eden Carlbough découvre que sa famille est ruinée. Et que, en dépit de son chagrin, elle doit laisser derrière elle sa vie de jeune fille privilégiée de la haute société de Philadelphie, et se construire une nouvelle vie. Une nouvelle vie qui débutera à Camp Liberty, la colonie de vacances où elle va enseigner l'équitation. Là, elle espère montrer à tous qu'elle est bien plus qu'une jeune femme mondaine et superficielle et, surtout, se prouver à elle-même qu'elle est capable de voler de ses propres ailes. Mais quand elle fait la connaissance de Chase Elliot, un propriétaire terrien au charme ombrageux et ravageur, Eden comprend qu'il va lui falloir aussi dompter la passion et le désir fou que lui inspire cet homme qui ne pourra jamais s'intéresser à elle...

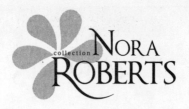

collection **NORA ROBERTS**

La Saga des Stanislaski - **Les rêves d'une femme**

Natasha, Mikhail, Rachel, Alexi, Frederica, Kate : tous sont membres de la famille Stanislaski. De parents ukrainiens, ils ont grandi aux Etats-Unis. Bien que très différents, ils ont en commun la générosité, le talent, et l'esprit de clan. Et pour chacun d'entre eux va bientôt se jouer le moment le plus important de leur vie.

Alors qu'elle vient d'intégrer un grand cabinet new-yorkais, où elle va exercer comme avocate, Rachel rêve à la brillante et passionnante carrière qui l'attend. N'a-t-elle pas le goût du risque, de l'énergie, de l'ambition à revendre ? Sans compter qu'elle a la ferme intention de n'accorder aucun intérêt aux hommes et aux histoires sentimentales !

Aussi comprend-elle qu'il va lui falloir une bonne dose de combativité pour résister aux avances de Zackary Muldoon, avec lequel elle se trouve contrainte de travailler deux mois durant…

Prochain rendez-vous le 1er novembre 2013

Best-Sellers n°559 • suspense

Un tueur dans la nuit - Heather Graham

*Un corps atrocement mutilé, déposé dans une ruelle mal éclairée de New York en une pose
volontairement suggestive…*

En s'avançant vers la victime – la quatrième en quelques jours à peine –, l'inspecteur Jude
Crosby comprend aussitôt que le tueur qu'il traque vient une fois de plus d'accomplir
son œuvre macabre. Qui est ce déséquilibré, qui semble s'ingénier à imiter les crimes
commis par Jack l'Éventreur au 19e siècle ? Et comment l'identifier, alors que le seul
témoin à l'avoir aperçu n'a distingué qu'une ombre dans la nuit, vêtue d'une redingote et
d'un chapeau haut de forme ? Se pourrait-il, comme le titrent les médias, déchaînés par
l'affaire, qu'il s'agisse du fantôme du célèbre assassin, ressuscité d'entre les morts pour
venir hanter le quartier de Wall Street, désert la nuit ? Une hypothèse qui exaspère Jude,
lui qui sait bien qu'il a affaire à un homme en chair et en os qu'il doit arrêter au plus vite.
Quitte pour cela à accepter de collaborer avec la troublante Whitney Tremont, l'agent
du FBI qui lui a été envoyé pour l'aider à résoudre l'affaire. Même si Jude ne croit pas un
seul instant au don de double vue qu'elle prétend posséder…

Best-Sellers n°560 • suspense

L'ombre du soupçon - Laura Caldwell

Après des mois difficiles durant lesquels elle a été confrontée à la perte d'un être cher ainsi qu'à
une déception amoureuse, Izzy McNeil, décidée à ne pas se laisser aller, accepte sans hésiter de
devenir présentatrice d'une nouvelle chaîne de télévision. Mais si la chance semble lui sourire à
nouveau, il lui reste encore à retrouver sa confiance en elle et à remettre de l'ordre dans sa vie
sentimentale. Pourtant, tout cela passe d'un seul coup au second plan quand elle retrouve Jane,
sa meilleure amie, sauvagement assassinée. Anéantie, Izzy doit en outre affronter les attaques
d'un odieux inspecteur de police qui la soupçonne du meurtre de son amie. Comment se
défendre face à ces accusations quand des coïncidences incroyables la désignent comme la
coupable idéale – tandis que de sombres secrets que Jane aurait sans doute voulu emporter
dans la tombe commencent à remonter à la surface ? Désormais, Izzy le sait, elle est la seule à
pouvoir dissiper l'ombre du soupçon.

Best-Sellers n°561 • thriller

L'hiver assassin - Lisa Jackson

*Ne meurs pas. Bats-toi. Ne te laisse pas affaiblir par le froid et la morsure du vent. Oublie
la corde et l'écorce gelée. Bats-toi.* C'est la quatrième femme morte de froid que l'on
retrouve attachée à un arbre dans le Montana, un étrange symbole gravé au-dessus de la
tête. Horrifiées par cette série macabre, Selena Alvarez et Regan Pescoli, inspecteurs de
police, se lancent dans une enquête qui a tout d'un cauchemar, au cœur d'un hiver glacial
et de jour en jour plus meurtrier à Grizzly Falls. Au même moment, Jillian Rivers, partie
à la recherche de son mari dans le Montana, se retrouve prisonnière d'une violente
tempête de neige. Un homme surgit alors pour la secourir avant de la conduire dans
une cabane isolée par le blizzard. Malgré son soulagement, Jillian éprouve instinctivement
pour cet être taciturne un sentiment de méfiance. Et si ses intentions n'étaient pas aussi
bienveillantes qu'il y paraissait ? Et s'il se tramait quelque chose de terrible ? Pour Selena,
Regan et Jillian, un hiver assassin se profile peu à peu dans ces forêts inhospitalières…

Best-Sellers n°562 • thriller
Et tu périras par le feu - Karen Rose
Hantée par une enfance dominée par un père brutal – que son entourage considérait comme un homme sans histoire et un flic exemplaire –, murée dans le silence sur ce passé qui l'a brisée affectivement, l'inspecteur Mia Mitchell, de la brigade des Homicides, cache sous des dehors rudes et sarcastiques une femme secrète, vulnérable, pour qui seule compte sa vocation de policier. De retour dans sa brigade après avoir été blessée par balle, elle doit accepter de coopérer avec un nouvel équipier, le lieutenant Reed Solliday, sur une enquête qui s'annonce particulièrement difficile : en l'espace de quelques jours, plusieurs victimes sont mortes assassinées dans des conditions atroces. Le meurtrier ne s'est pas contenté de les violer et de les torturer : il les a fait périr par le feu…Alors que l'enquête commence, ni Mia ni Reed, ne mesurent à quel point le danger va se rapprocher d'eux, au point de les contraindre à cohabiter pour se protéger eux-mêmes, et protéger ceux qu'ils aiment…

Best-Sellers n°563 • roman
La vallée des secrets - Emilie Richards
Si rien ne changeait, le temps aurait raison de son mariage : telle était la terrible vérité dont Kendra venait soudain de prendre conscience. Blessée dans son amour, elle part s'installer dans un chalet isolé au cœur de la Shenandoah Valley, en Virginie. Une demeure héritée par son mari, Isaac, d'une grand-mère qu'il n'a jamais connue, seule trace d'une famille qui l'a abandonné après sa naissance. Dans ce lieu enchanteur et sauvage, elle espère se ressourcer et faire le point sur son mariage. Mais c'est une autre quête qui la passionne bientôt : celle du passé enfoui et mystérieux des ancêtres d'Isaac. Une histoire intimement mêlée aux secrets de la vallée, précieusement protégés par les habitants qui en ont encore la mémoire. Mais qu'importe : Kendra, qui n'a rien oublié de son métier de journaliste, est prête à relever le défi. Car, elle en est persuadée, ce n'est qu'en sachant enfin d'où il vient qu'Isaac pourra construire avec elle un avenir serein…

Best-Sellers n°564 • roman
Un automne à Seattle - Susan Andersen
Quand elle apprend qu'elle hérite de l'hôtel particulier Wolcott, près de Seattle, Jane Kaplinski a l'impression de rêver. Car avec la demeure, elle hérite aussi de la magnifique collection d'art de l'ancienne propriétaire ! Autant dire une véritable aubaine pour elle, conservatrice-adjointe d'un musée de Seattle. Mais à son enthousiasme se mêlent des sentiments plus graves : de la peine, d'abord, parce qu'elle adorait l'ancienne propriétaire de Wolcott, une vieille dame excentrique et charmante qu'elle connaissait depuis l'enfance. Et de l'angoisse, ensuite, parce qu'elle redoute de ne pas être à la hauteur de la tâche. Heureusement, elle peut compter sur l'aide inconditionnelle de ses deux meilleures amies, Ava et Poppy, qui ont hérité avec elle de Wolcott. Et sur celle, quoique moins chaleureuse, de Devlin Kavanagh, chargé de restaurer la vieille bâtisse. Un homme très séduisant, très viril et très sexy, mais qui l'irrite au plus haut point avec son petit sourire en coin, et son incroyable aplomb. Mais comme il est hors de question qu'elle réponde à ses avances à peine voilées, elle n'a plus qu'à se concentrer sur son travail. Sauf que bien sûr, rien ne va se passer comme prévu…

BestSellers

Best-Sellers n° 565 • historique
La maîtresse du roi - Judith James
Cressly Manor, Angleterre, 1662

Belle, sensuelle et déterminée, Hope Matthews a tout fait pour devenir la favorite du roi d'Angleterre, quitte à y laisser sa vertu. Pour elle, une simple fille de courtisane, cette réussite est un exploit, un rêve inespéré auquel elle est profondément attachée. Malheureusement, son existence dorée vole en éclats lorsque le roi lui annonce l'arrivée à la cour de la future reine d'Angleterre. Du statut de maîtresse royale, admirée et enviée de tous, elle passe soudainement à celui d'indésirable. Furieuse, Hope l'est plus encore lorsqu'elle découvre que le roi a mis en place un plan pour l'éloigner de Londres : sans la consulter, il l'a mariée à l'ombrageux et séduisant capitaine Nichols, un homme arrogant qui ne fait rien pour dissimuler le mépris qu'il éprouve pour elle…

Best-Sellers n° 566 • historique
Princesse impériale - Jeannie Lin
Chine, 824.

Fei Long n'a pas le choix : s'il veut sauver l'honneur de sa famille, il doit à tout prix trouver une remplaçante à sa sœur fugitive, censée épouser un seigneur khitan sur ordre de l'empereur. Hélas ! à seulement deux mois de la cérémonie, il désespère de rencontrer la candidate idéale. Jusqu'à ce que son chemin croise celui de Yan Ling, une ravissante servante au tempérament de feu. Bien sûr, elle n'a pas l'élégance et le raffinement d'une princesse impériale, mais avec un peu de volonté – et beaucoup de travail –, elle jouera son rôle à la perfection, Fei Long en est convaincu. Oui, Yan Ling est la solution à tous ses problèmes. A condition qu'il ne tombe pas sous son charme avant de la livrer à l'empereur…

Best-Sellers n° 567 • érotique
L'emprise du désir - Charlotte Featherstone

Parce qu'il croit avoir perdu à jamais lady Anaïs, la femme qu'il désire plus que tout au monde, lord Lindsay s'est laissé emporter entre les bras d'une autre maîtresse, aussi voluptueuse mais autrement dangereuse : l'opium. Semblables à de langoureux baisers, ses volutes sensuelles caressent son visage et se posent sur ses lèvres, l'emportant vers des cimes inexplorées. Et quand survient l'extase, le rideau de fumée se déchire, et, le temps d'un rêve, il possède en imagination la belle Anaïs. Hélas, pour accéder encore et encore à cet instant magique, Lindsay a besoin de plus en plus d'opium, qui devient vite pour lui une sombre maîtresse, exigeante, insatiable. Alors, le jour où lady Anaïs resurgit dans sa vie, encore plus troublante, encore plus désirable, il comprend qu'il va devoir faire un choix. Car il ne pourra les posséder toutes les deux…

www.harlequin.fr

Composé et édité par les

éditions ✛ **HARLEQUIN**

Achevé d'imprimer en France (Malesherbes)
par Maury-Imprimeur
en mai 2013

Dépôt légal en juin 2013
N° d'imprimeur : 181154